Molly

Historia sobre los centros de menores en Cataluña

Por Gustavo Franco y Jesús Martínez

Aviso

La protagonista de esta novela es un personaje inventado. Los nombres, lugares y hechos descritos en esta obra cumplen una función estrictamente narrativa. Cualquier coincidencia con la realidad es pura imaginación.

Las opiniones de los personajes de esta ficción no tienen por qué coincidir con las de sus autores.

A Antonio
A Luisa y Carmina
A Niccoló, el más joven de nuestras tertulias periodísticas

Al ocultar las circunstancias en las que se elaboran determinadas informaciones se está negando al público su derecho a conocer qué interés existe detrás de algunos trabajos informativos.
Margarita Rivière *(La fama)*

> *Serán las madres las que digan: "Basta".*
> *Esas mujeres que acarrean siglos*
> *de laboreo dócil, de paciencia.*
> *Serán las madres todas rehusando*
> *ceden sus vientres al trabajo inútil*
> *de concebir tan sólo hacia la fosa.*
> *De dar fruto a la vida cuando saben*
> *que no ha de madurar entre sus ramas.*
> Ángela Figuera

Carta del editor

La novela que el lector tiene en las manos fue, anteriormente, un reportaje periodístico. Las circunstancias requirieron un cambio de género que le ha venido bien. El fondo es el mismo: la vulnerabilidad de los niños que nacen en las cada vez más nutridas filas de los desamparados sociales y la posibilidad de que, al serles retirada la tutela a los padres biológicos, vayan de Guatemala a Guatepeor.

Frente al reportaje periodístico que señala con el dedo a personas concretas, que culpabiliza y afirma, que reduce el tema a un caso particular, el género narrativo lo universaliza. Los nombres y apellidos reales no vienen a cuento. No se trata tanto de denunciar un hecho concreto, como de prevenir sobre los presuntos abusos que se puedan cometer a la sombra de unas instituciones públicas avaladas por profesionales excelentes, pero con lagunas legales para acometer su trabajo.

La infancia es la edad que marca el futuro, la edad en la que somos más indefensos, la edad en la que el cariño es el alimento imprescindible para el crecimiento personal. Cambiar cuidadores por *seguratas* no es la forma más conveniente de convertir la niñez de los más desfavorecidos en la edad mítica que decide el porvenir. Tampoco es la manera más inteligente de proveer a la futura sociedad de ciudadanos maduros, equilibrados, con fuerza para cargar sobre sus hombros con las responsabilidades políticas, culturales y laborales que todos vamos a necesitar.

Jesús Martínez y Gustavo Franco son dos grandes profesionales del humanismo. Leyendo este libro uno siente el impulso irreprimible de mejorar, de calibrar las consecuencias de sus propias acciones y de engrasar las instituciones para que de ninguna forma dañen a los niños que dicen proteger y que ya vienen al mundo con el signo de la pobreza tatuado en su entorno.

El trabajo de estos dos profesionales lo motiva el amor a la justicia, a la verdad. Su lectura nos impulsa a la dignificación.

José Membrive

Editor

Prólogo

Esta obra le invita a la reflexión sobre dos asuntos bien distintos: los centros de menores y la profesión periodística. Jesús y Gustavo los han hilvanado con maestría. Los comentaré por separado, comenzando por unos breves apuntes sobre el primer tema que arrojo como en un *lapidarium*. *"Si Michael Jackson hubiera sido pobre, ¿dónde habrían ido a parar sus hijos?"* Calabozos llamados *"salas de reflexión"*. Estos equipamientos se preocupan por la alimentación y la higiene, pero los menores tutelados necesitan, sobre todo, cariño. No lo suelen recibir de quienes regentan los centros de menores, en unas ocasiones empresas de seguridad (*"eres un 'segurata', no un educador"*) y, en otras, *"oenegés de mierda"*. Más de 162 millones de euros para atención a la infancia y la adolescencia y otros dos millones de euros para repatriar a ¡doce niños! ¿Dónde está el dinero? *"En el bolsillo, en lujos, en viajes"*, contesta una de las fuentes de Gustavo y Jesús.

Hay una máxima del periodismo de investigación que dice "Sigue el dinero". Allí donde se mueven grandes cantidades siempre hay algo que investigar. Y me alegra ver que dos periodistas están dispuestos a hacerlo por amor al arte. O, mejor dicho, por amor al periodismo. Son muchas las razones de por qué los editores no apuestan por el periodismo de investigación, pero podríamos resumirlas así: no están dispuestos a pagar el precio. Por un lado, el económico, el coste de una investigación periodística, y, por otro, y sobre todo, el precio de incomodar al poder. Una investigación puede significar el fin de un contrato publicitario o la no concesión de una licencia de radio o televisión a la empresa editora del medio en cuestión. Así vemos el periodismo de investigación totalmente marginado (los grandes titulares de los medios de referencia provienen, principalmente, de filtraciones interesadas —policiales, judiciales y políticas—, no de investigaciones periodísticas).

Y aquí nos encontramos a los autores de este libro, uno subcontratado por una empresa de trabajo temporal para el turno de fin de semana de un diario gratuito y otro llenando páginas de periódico por 130 euros la plana. Pero como llevan tinta en las venas, sacan un reportaje en Cachemira y en Bosnia aprovechando sus vacaciones. Y después se encuentran con la casi imposibilidad de vender apasionantes historias de muerte, desolación y denuncia que no quedan muy bien junto a la publicidad de "bolsos Gucci y maquillaje Margaret Astor".

Estoy totalmente de acuerdo con ellos cuando dicen: "La prensa no sólo ha de ser un transmisor de datos, sino un medio de fiscalización del poder, el vigía que denuncie las malas prácticas sociales, un servicio público". Hay una teoría preciosa que define al periodismo como el *"watch dog"* de la democracia, *el perro vigilante* que alerta cuando descubre los desmanes del poder político y económico. Pero hoy, ese perro vigilante que somos nosotros debe alertar sobre las cloacas de un poder económico que es el dueño de los medios de comunicación. Ya no existen los editores que sabían a qué huelen las resmas de papel. Por poner un ejemplo, el dueño de *Telecinco* y *Cuatro* se llama Silvio Berlusconi (Mediaset). Todos los grandes grupos mediáticos están hipotecados por su accionariado, por la gran banca que los financia (más en tiempos de crisis) y por sus evidentes vinculaciones políticas. Lo veo a diario en los distintos medios de prensa y televisión para los que trabajo. De ahí que, y les vuelvo a citar: "Las *noticias basura* sirven para desviar la atención de los temas importantes".

Muy bien traída la cita del valiente Louis Delaprée, que le dijo a sus editores: "No les enviaré nada más. No vale la pena. La matanza de cien niños españoles es menos interesante que un suspiro de la señora Simpson, puta real".

Pero no podemos claudicar ante esta lacra ni vivir del lamento. Siempre habrá grandes historias que contar, escándalos que denunciar, corruptos que destapar. Debemos pelear para hacer periodismo de investigación y que los resultados vean la luz. Se lo debemos a la sociedad. Es nuestra obligación. Es nuestra profesión. Es nuestra vida.

Javier Chicote

Doctor en Periodismo por la Universidad Complutense de Madrid

Para incrédulos

Esta es la historia de la inmigrante kazaka Molly Malone, una mujer ofuscada por las normativas internas y los reglamentos. A Molly, que llegó a Barcelona sin recursos económicos, los servicios sociales de la Direcció Total d'Atenció a la Infància i l'Adolescència (DTAIA) le arrebataron a su única hija, Sara, en 2001, justo un año después de haberla parido. "Molly es una mujer inestable", dictaminaron los trabajadores de la Administración. A Sara la pasearon por varios centros de menores. Durante dos años, Molly Malone luchó contra viento y marea para conseguir que le devolvieran a la niña. Y ganó.

Los autores quieren romper una lanza por la valía de algunos trabajadores de la Direcció Total d'Atenció a la Infància i l'Adolescència, que desempeñan una labor encomiable y poco reconocida.

Los autores se acogen al artículo 10 del Código Deontológico de la Federación de Asociaciones de Periodistas de España (FAPE) sobre la confidencialidad de las fuentes. Es por ello que la protagonista del relato se llama Molly Malone, en honor de la vendedora ambulante irlandesa que murió de hambre en la calle, en el siglo XIX.

> El secreto profesional es un derecho del periodista, a la vez que un deber que garantiza la confidencialidad de las fuentes de información. Por tanto, el periodista garantizará el derecho de sus fuentes informativas a permanecer en el anonimato, si así ha sido solicitado. No obstante, tal deber profesional podrá ceder excepcionalmente

en el supuesto de que conste fehacientemente que la fuente ha falseado de manera consciente la información o cuando revelar la fuente sea el único medio para evitar un daño grave e inminente a las personas.
Artículo 10 del 'Código Deontológico' de la FAPE

La búsqueda de información, datos y entrevistas que dieron origen a esta narración se llevó a cabo entre enero y octubre del 2004.

Los autores quieren agradecer a los familiares, compañeros de redacción y abogados que han aportado sus correcciones y sus recomendaciones.

La intención es hacer más transparentes las políticas de atención a la infancia y contribuir a que mejoren. Si alguna persona se ha sentido ofendida por cualquier mención, los autores le piden excusas, puesto que no era esta su voluntad.

*

"La historia me ha recordado a la película del director Ken Loach *Ladybird, Ladybird*. Terrorífica historia real."
Dolores Lafuente, abogada

"Me recuerda a aquellas películas de policías de Nueva York de las series de los setenta."
Víctor Dalmau, educador

LISTA DE PERSONAJES PRINCIPALES

1. <u>María José Garzón:</u> jueza de la Audiencia Provincial de Barcelona. Aunque no fue entrevistada, varios personajes hablan de ella durante la investigación. Cuando se intentó contactar con ella mediante el gabinete de prensa, no fue posible conseguir una cita

2. <u>Milagros Roig:</u> educadora convocada por la jueza María José Garzón como testigo del *caso Molly Malone*

3. <u>Concepció Bernabeu:</u> educadora convocada por la jueza como testigo del *caso Molly Malone*

4. <u>Sara Malone:</u> hija de Molly Malone. Nombre ficticio para proteger la identidad de la menor

5. <u>Molly Malone:</u> mujer procedente de Kazajistán, a quien los servicios sociales retiraron la tutela de su hija Sara Malone, que logró recuperar año y medio después. En este relato, también con el alias de "Silvia". Nombre ficticio como homenaje a la dublinesa Molly Malone, y para proteger a los periodistas de sus probables querellas

6. <u>Luigi Garibaldi:</u> colaborador de la asociación Singular-12. Decidió apoyar a Molly en noviembre del 2003, cuando la conoció. La relación duró hasta febrero del 2004, cuando la mujer decidió cortar con Singular-12

7. <u>Sierva María de Casalduero:</u> amiga de Luigi Garibaldi

8. <u>Josefa Vázquez:</u> miembro de Singular-12

9. <u>Laura:</u> amiga de Molly, alias "Paula"

10. <u>Ernest Duran:</u> último abogado de Molly y colaborador de diferentes Ateneus Llibertaris. Titular del Despacho Independiente Laboralista y Popular (DILP)

11. <u>Omar:</u> miembro del colectivo alternativo Kanalla, "en defensa de niñ@s y adolescentes"

12. <u>Pilar Foix:</u> pediatra del Hospital Sant Pau. Aseguró en el juicio de Molly que la DTAIA omitió información del Centre d'Atenció Primària de Sant Andreu, ambulatorio en el que trabaja

13. <u>Dolors Caro:</u> enfermera del Hospital Sant Pau. También afirma que la DTAIA omitió deliberadamente sus informes

14. <u>Petra Fonts:</u> psicóloga infantil, perito judicial y miembro del Centre de la Infància i l'Adolescència. Desde "el punto de vista profesional" cree que hubo incoherencias en el caso de Molly

15. <u>Inés Agustí:</u> directora del centro Els Tarongers. Fue llamada como testigo en el juicio, a petición de Molly. Declaró a la jueza que desconocía quién firmaba los informes anónimos con la rúbrica "RF"

16. <u>Amparo Fornes:</u> asistenta social. Para ella era importante "preguntar por los informes anónimos" sobre el estado de Molly Malone

17. <u>Francesca Seboles:</u> procuradora de tribunales. Le dijo a Molly, durante el proceso, que estaban poniendo "especial atención" en su caso

18. <u>Rosa Rodríguez:</u> primera abogada de Molly. Presidenta de la *Lliga del Biberó de Catalunya*

19. <u>Tamara Guevara:</u> madre a quien los servicios sociales retiraron la tutela de sus hijos, integrante del colectivo Acogida y Fraternidad

20. <u>Petra Piera:</u> madre de tres menores internos en centros

21. <u>Vanessa Serra:</u> pedagoga y vecina de Molly en su último domicilio de Barcelona, antes de trasladarse a Murcia

22. Pepita Roig: *consellera* del Departament de Reacció Social de la Generalitat de Catalunya. Militante del partido Esquerra Unitària de Catalunya (EUC)

23. C.: padre adoptivo de una niña etíope

24. Lluís Grau: adjunto de infancia del Defensor del Poble Català

25. Meritxell: directora de la escuela Mare de Déu del Mar

26. Alícia Beltran: experta en servicios sociales

27. Víctor Dalmau: educador del colectivo DARI (Investigación y Acción por los Derechos del Menor)

28. Christina: amiga de un compañero de universidad de Jesús. Extrabajadora de la Fundació Pau i Concòrdia, gestora de centros de menores

29. Clara de Jarnés: diputada de Confederació i Nació (CiN) en el Parlament de Catalunya

* Para evitar represalias laborales, los nombres de algunos periodistas han sido sustituidos por los nombres de los personajes de Ratonia y del rotativo *El eco del roedor,* el medio en el que escribe el ratón periodista Geronimo Stilton: Patty Spring, Metomentodo Quesoso, Amperio Voltio, Pandora Woz, Pequeño Tao, Pinky Pick, Benjamín Stilton y Sally Ratonen. Estos nombres no pretenden ser denigrantes

* Se escribe XXX en los textos censurados

INTRODUCCIÓN. El despecho por un oficio perdido

Gustavo.—A mí me gusta la historia de los chinos —dijo apretando los puños— pero es que son tan herméticos...

Jesús.—Sé de qué hablas. Sólo estuve media hora tomando café con la traductora del director mexicano —puntualizó— y no pasamos de las sonrisas.

Gustavo.—¿Ese que rodó una película con chinos y gitanos en Santa Coloma de Gramenet? ¿Cómo es que se llama?... ¿Iñárritu?

Gustavo no quiso interrumpir la obviedad del silencio, que le dio la respuesta. Ambos descartaban así investigar el misterio de las tragaperras con truco, o más bien, los chinos con truco para sacarle las monedas a la máquina. A los otros temas discutidos en la mesa de un bar también les faltaba algo: la mafia rusa, los suicidios en las cárceles y todos los hechos nunca-contados-como-nosotros-los-vemos... En el mail lo había resumido así:

"1. El tema de los centros de menores. Existen diversas denuncias de padres a quienes, supuestamente, se les ha quitado la potestad de sus hijos. Se sabe que están controlados por la Administración, pero son fundaciones o centros gestionados por particulares que reciben del Estado dinero por cada menor. Hay quien sospecha que esto se ha convertido en un negocio. Es decir, cuantos más menores en los centros, más contentos sus administradores. Existen plataformas de afectados y también está de por medio la discriminación de la pobreza. ¿Es malo ser pobre? ¿Es causa suficiente para separar a un menor de su familia? Se dice que en el patronato de algunos centros hay políticos y personas influyentes. El caso de Molly Malone, a quien le sustrajeron a la niña, es paradigmático.

2. Suicidios en las cárceles españolas. Basta navegar un poco por Internet para conocer las cifras escandalosas. La tasa es mucho más elevada que entre la población no reclusa.

3. Tratamiento de desechos informáticos. Llevo algún tiempo detrás de este tema, pues, al parecer, los datos de tratamiento adecuado —facilitados por empresas dedicadas a ello y por la agencia derivada de la Generalitat— no corresponden con el volumen de desechos generados. ¿Terminan los desechos informáticos de Cataluña en algún descampado de África o de la India? La forma más probable de 'exportar' esta basura es por vía marina, y Barcelona es un puerto."

Jesús.—Y ¿esa mujer a quien le han quitado a la hija?

Efectivamente, tenían así un rostro y una tragedia urbana. En alguna parte habían leído: "La fuente de creación, al fin y al cabo, es siempre la realidad". Los periodistas Gustavo Franco y Jesús Martínez creían en esta máxima antes de conocerse. Cada uno por su cuenta se ganaba la vida como podía, metiendo crónicas y reportajes ahí donde les dejaran. Por aquella época, Jesús hacía guardia los fines de semana en la edición *online* de *ADN,* una publicación gratuita en la órbita de la Galaxia Planeta. El otro trabajaba en la redacción de *Tribuna Latina,* un diario digital dirigido, principalmente, a la inmigración latinoamericana en España. Pero todavía pertenecían a esa generación de periodistas que publicaba sus mejores trabajos en papel. El primero, para *El Periódico* y *La Vanguardia;* el segundo, para *Público.* Bastaron un par de charlas para darse cuenta de que era inevitable realizar un proyecto juntos. Así, Jesús y Gustavo, *Tavo,* decidieron hacer un reportaje de largo aliento.

Gustavo.—Pues dale. Qué más da si nadie le hace caso... —intervino. Afuera, una tímida lluvia invernal mojaba las calles estrechas del Gótico barcelonés. Se sentía seguro en aquel lugar, la Granja Viader, una histórica chocolatería que el otro periodista solía escoger para sus encuentros.

Jesús.—Yo empezaría con el juicio —se apresuró a decir.

CAPÍTULO 1. El juicio

El 12 de noviembre del 2003, a las 11.36 horas, el fax escupió una página a la atención de Roberto Barrios, exabogado de Molly Malone. "Excepcionalmente", se reabría su caso.

> Audiencia Provincial de Barcelona
>
> Rollo número XXX[1]/2003
>
> Ilma. Sra. Magistrada Presidente Doña María José Garzón
>
> En Barcelona, a veintidós de octubre de dos mil ocho
>
> [...] Se acuerda practicar interrogatorio a la parte apelante en el acto de la vista. Cítesela en forma, a través de su procurador en autos.
>
> Se señala el día 27/01/2004, a las 11.30 horas, para la celebración de la VISTA de la presente apelación.

Las gaviotas patinaban en el cielo y se las oía gritar desde la lejanía inaccesible de los despachos judiciales. A las 11.45 horas del 27 de enero del 2004, una mañana mitad solariega y mitad británica, la magistrada María José Garzón resolvería un conflicto existencial que no admitía el distanciamiento inexcusable de los malentendidos ni los autos dilatorios de las resoluciones. Molly es una mujer de 33 años que quiere lo suficiente a su hija, Sara, como para cumplir los Diez Mandamientos. A Molly le quitaron a Sara. Los servicios tutelares del Estado, representados por la Direcció Total d'Atenció a la Infància i l'Adolescència (DTAIA), dictaron en su día un cuadro de horror casi paranoico en la historia clínica de esta muchacha de dulce apariencia: "Una mujer desequilibrada", diagnosticaron. "Por la misma razón por la que no le han dejado ver a su pequeña en dos años de forzosa separación, no quieren que la madre, luchadora, recupere el bien más preciado que Dios le dio cuando arrendó el cortijo en el que vivimos: su amor", escribió avivado Jesús en su gastada libreta de notas.

Molly Malone es una niñera kazaka, nacida el 3 de febrero de 1971. De su país vino con una mano delante y una detrás, atracada por los espasmos de no tener donde caerse muerta. Una vez en España, se vio mancillada por la vergüenza de llevar en el vientre a una niña de un padre que se desentendía con irónicas salidas de tono. Sara nació el XXX del 2000.

La suya es la historia de un desconsuelo asquerosamente largo. Molly es una *outsider,* no tiene a nadie. Los únicos que se preocupan por ella son un atajo de almas nobles que poco pueden hacer contra el enredo de cláusulas, en los separadores de folios de los cuestionarios de los estantes de las instrucciones públicas.

El antecedente es éste, y con esto basta para escribir más de doscientas páginas: a Molly le arrebataron a Sara. Durante dos años no la pudo ver por motivos para ella "inconsistentes": según algunos profesionales se sospechaba de maltratos, desapego y desnutrición.

El 27 de enero del 2004, en la puerta del Palacio de Justicia de Barcelona, entre el Centro de Educación Infantil Primaria Pere Vila y la sucursal de Correos número 40, un grupo de cuatro personas echaba mano al móvil. Estaban pendientes de si Molly llegaría a tiempo para declarar ante la jueza Garzón, quien había decidido semanas antes reabrir el caso.

Las cuatro personas pertenecían a la asociación Singular-12, que se dedica "al cuidado de la vida y a la recuperación de la armonía". A ellos recurrió Molly para solicitar ayuda. Esta entidad impulsa, como fin exquisito, una cultura de-la-vida-y-de-la-muerte y, en particular, de-la-salud-y-de-la-enfermedad ("basada en nuestra capacidad de conocimiento y de autocuración"). Uno de los primeros canónigos de Singular-12 en llegar, Luigi Garibaldi, trajo consigo el mail impreso con la urgencia de la convocatoria de ese día:

"CONVOCATORIA DE APOYO
A MOLLY Y SARA

La última esperanza de Molly de recuperar la custodia de su hija Sara, desde que la perdió en noviembre del 2001, tendrá lugar en la Audiencia Provincial este 27 de enero, donde se revisará su caso.

Hace tres años, Molly, de 30 años de edad y origen kazako, embarazada de cuatro meses, acudió a los servicios sociales para informarse de las ayudas legales para el alquiler en su situación (madre soltera afectada por discriminación laboral).

Según los servicios sociales, ella tenía derecho a recibir ayuda como madre soltera, pero después de meses esperando lo único que consiguió fueron tres días de pensión y la promesa de una residencia para madres solteras que nunca se materializó.

Desde que hizo esta solicitud, recibió llamadas persistentes para que diera en adopción a su hija, hasta el punto de que denunció a la policía los hechos. Nunca se supo de quién provenían las llamadas. Se le tendió una trampa, ofreciéndole una pensión —cuando ella ya tenía una vivienda alquilada— y usando luego esto en su contra, alegando los servicios que no tenía una vivienda estable. Al mismo tiempo ya se estaba cursando una propuesta de "desamparo" ilegal, de la que Molly no tenía conocimiento alguno.

Pero ¿cuáles eran los motivos o intereses reales para la retirada de Sara? Los servicios sociales proponen separar a la niña de su madre basándose en falsos informes y en hipótesis no demostradas, tales como:

-Posibles malos tratos (excesiva preocupación por la salud de la niña e intereses por sus cuidados médicos, y una caída de la niña)

-Precariedad (debido a su bajo nivel económico)

-Madre conflictiva (por no aceptar la propuesta de retirada como solución)

-Sobreprotección (querer darle el pecho y mostrar excesivo afecto a la niña durante las visitas)

Por otro lado, *se sabe que un 90% de los niños retirados pertenecen a la clase baja,* y que por cada niño bajo tutela del Estado se recaudan aproximadamente 200 euros diarios.

Como solución, Sara es internada en varios *centros-cárceles de menores,* donde la niña se halla en una situación precaria, con escasez de personal.

QUEREMOS MOSTRAR NUESTRA SOLI-DARIDAD CON ELLAS, ASISTIENDO A LA VISTA EN LA AUDIENCIA PROVIN-

CIAL: VISTA PÚBLICA (dentro de la sala de vistas n° 18) PARA DARLES APOYO Y HACER VER QUE NO ESTAN SOLAS EN ESTA LUCHA POR LIBERAR A SARA DE SU SECUESTRO.

LUGAR: Audiencia Provincial, Passeig Lluís Companys, 14-16, 1ª planta, sección 18

(<M> Arc del Triomf)

DIA y HORA: 27 de enero, a las 10.45 h"

[Cursivas de los autores.]

"Yo me ocupo de medicina, hago estudios comparados sobre el cáncer y sobre la manipulación de datos y hago estudios censurados cuando no convienen, más todo el dinero que se mueve en los entresijos", se retrató Luigi Garibaldi, con el formulismo academicista del catedrático de matemáticas Israel Gelfand. "Vino Molly a la asociación y me dispuse a ayudarla. Me contó su historia en octubre del 2003 y no me lo creía; me parecía muy inverosímil. Miré el cedé del juicio, porque denunció cuando le quitaron a la niña. En el juicio la abogada desmintió las acusaciones contra su defendida, y pasadas una hora y 38 minutos en los que se estaba desarrollando la audiencia, la jueza se para y le dice a la abogada: 'Mire, señorita, independientemente de si tiene razón o no, su defendida obtendría más si se comportara mejor con los centros sociales'. La jueza aplica como sentencia una opinión personal. La sentencia fue: apáñatelas como puedas. Molly apeló, pero el recurso fue rechazado por el departamento jurídico de la Generalitat y por el fiscal. El fiscal escribe cuatro palabras: "Considero suficiente el juicio". El fiscal redacta un informe de cuatro páginas tergiversando hechos, sacándolos de contexto, dando opiniones como si fueran verdades, e insiste en que hay maltratos cuando no los hay, que ha habido ingresos en el hospital cuando es falso... Yo no entiendo nada."

A Luigi le seguían, allá adonde fuera, otras dos colaboradoras de la entidad Singular-12, agrias en sus facciones, santas por la pureza de sus ideales, enrabiadas por la convicción de que, irremediablemente, caerían tras el enfrentamiento, porque ellas carecían de padrinos. Sierva María de Casalduero, la amiga de Luigi, repetía entre dientes mientras esperaba a la kazaka, que si Molly perdía a Sara, ni Molly ni Sara tendrían una vida feliz: "Es muy fuerte que le quiten a la niña. Esta madre está sufriendo mucho". De Casalduero, aún con el nombre aristocrático, es una mujer de mediana edad sin posesiones en ultramar, con un acento deshecho ya por la quinina de las malas noticias. Le acompañaba Laura, una atractiva chica con los ojos de Renée Zellweger, cuya presencia se debía más a devolver los ánimos descompuestos que a la consultoría eficaz de los latinajos de la jurisprudencia, que ni entendía ni le importaban. Laura le había dicho a Molly: "No te dejaré sola", y eso hizo.

La cuarta persona era un fantasma, hasta que se dignó presentarse. "Yo me llamo Vanessa Serra, mi nombre es Vanessa Serra." Sólo le faltaba añadir "y he venido a reclutaros" para que su mensaje fuera comparable, por su entereza y la rectitud de sus propósitos, con el del activista por los derechos de los homosexuales Harvey Milk. Serra fue la vecina de Molly durante dos años. Doctora en pedagogía por la Universitat de Barcelona, esta argentina de la provincia de Mendoza, con la doble nacionalidad española desde 1999, se perdió en explicaciones de las que sobresalían conceptos con el peso de los mazos: abuso de poder-sistema-perverso-injusticia. "Molly es una mujer vulnerable. Van a por ella. Es una madre soltera sin respaldo familiar, y está como bajo las garras de la

Administración, perseguida y vapuleada."

"Yo fui su vecina cuando estuvo viviendo en la calle de Ignasi Iglesias de Barcelona, en el distrito de Sant Andreu. Dábamos puerta con puerta. Yo, en el 1° 1ª; y ella, en el 1° 4ª. En una escalera con gente que viene y que va, nos saludábamos en los espacios comunes. Ella residió allí desde fines del 2000 hasta fines del siguiente año", confirmó Vanessa, con la repostería de un castellano tan rico como el pastel de ruibarbo. "Estaba con la *beba,* con la niña. El contacto era de saludarnos. Una de las cosas con las que tuvo problemas era que se decía que la niña tenía riesgo social por no contar con las condiciones mínimas que proporciona una vivienda estable. La realidad está lejos de eso. Nos veíamos siempre. La niña, con su cochecito y sus pañales. Un día acompañé a Molly a la juguetería de al lado de casa y me sorprendió que la dependienta la reconociera, porque la visitaba con asiduidad."

Los Cuatro, Luigi, Sierva María, Laura y Vanessa, decidieron entrar en el Palacio de Justicia por la misma puerta por la que salían los togados, móvil en mano, que atendían las llamadas antes de que saltara el buzón de voz. Sin mucha diligencia en el cacheo rutinario, el arco de seguridad, flanqueado por una pareja de la Guardia Civil sin tricornio, pitó sin ningún criterio, según le convenía. Una vez dentro del edificio, los Cuatro, con Luigi a la cabeza, buscaron el ascensor que les llevara a la primera planta, donde se encontraba la sala de vistas de la sección 18-A. Una agente, repartidora de sobres y burofaxes, les previno: "El ascensor está al fondo a la derecha. No utilicen las escaleras, estamos en obras". Ya en la sala, otro juicio se estaba celebrando. En los pasillos, el abogado de Molly, Ernest Duran, muy citado en Indymedia, daba el último repaso a la *Ley de enjuiciamiento civil,* apuñalada por los puntos de libro en los epígrafes clave.

A las 11.30 horas llegó Molly, cuyo aspecto denotaba que no había descansado esa noche. Con todo, la placidez de su cara reflejaba el sentimiento bastardo que se produce del cruce de la esperanza con la resignación. Un abrigo raído, con los pliegues del asiento de muchas paradas de metro, y una expresión risueña, ojerosa, expectante. Le seguían una quincena de jóvenes que los analistas políticos encasillarían como 'okupas antisistema'. Fulares, barbas, *piercings* y muchas ganas de hacer una sentada para expresar el desencanto con la administración. Omar, el líder resoluto que llevaba la voz cantante, mantenía en su sitio, con su tranquilidad serena, los nervios que se podrían desatar en los demás. Sin separarse de Molly, que se acordaba más que nunca de Sara, Omar permaneció de pie junto a su tropa, que acampó en el primer piso del Palacio de Justicia con las provisiones necesarias para pasar las horas muertas. En el suelo, cinco de sus acólitos, en edad de estudiar primero de carrera, jugaban al siete y medio.

Uno a uno fueron pasando para solidarizarse con la madre. "Suerte, todo irá bien, verás", repetían sin descanso. Sierva María de Casalduero le entregó una bolsa de *Zara,* dentro de la cual había resguardado el manojo de fotocopias que no había tenido tiempo de leer. Días atrás Molly le había dejado los dosieres sobre los contenciosos parecidos al suyo, grapados junto a esta nota: "Estimada Sierva María, gracias por tu apoyo y por tu tiempo. Te dejo el dosier de artículos publicados y el cartel de una charla en la que participan Kanalla, Andie, Rosa y yo. Por si quizá conoces a alguien a quien le pudiera interesar o por si puedes venir —aunque ya sé que no tienes tiempo y que seguramente no puedas—. Un saludo y dos besos, Molly".

Los papelajos trataban temas espinosos, aquello que la kazaka presuntamente estaba viviendo en propia carne: un informe del alternativo Colectivo Kanalla sobre el abuso de psicofármacos en los centros de menores; otro sobre el suministro de psicofármacos en las prisiones de menores; documentos sobre "familias destrozadas", y titulares de contenidos web como estos: "Condena a los denunciantes de maltrato a un menor" y "Centros de menores: el negocio de la tortura". También intervenciones de menores conflictivos en las aulas y otros artículos de 30 páginas sin firma en su calce ni pie de foto, cuando las había: "Fruto de la privatización del sector social, y desde la puesta en escena de la Ley del Menor, se puede observar cómo han proliferado diversas entidades (supuestamente) "no lucrativas" que se han ido adueñando de la gestión de los distintos centros de menores —tanto terapéuticos como de protección y reforma (centros cerrados o semicerrados)— que se han ido construyendo con respecto a la aplicación de la mencionada ley".

A las seis de la tarde de ese 27 de enero, Molly participaría en una charla informativa del Colectivo Kanalla, con este título indecoroso:

> "Xerrades a La Mañosa. Tuesday 20 January 2004. Aquests dies tenim dues xerrades sobre l'educació dels menors:
>
> "Dissabte 24, a partir de les 18h. Xerrada 'Què passa als centres de menors' + presentació del dosier 'Amb psicofàrmacs no s'educa' i, després, kafeta fins la una de la matinada + okupació d'espais lúdics.
>
> Dimarts 27, a les 18h. Xerrada 'DTALA, feixisme comtemporani', i, després, sopar."

Una charla colateral a la que también acudiría Molly: "Sistema de protección del menor y centros de menores". En ésta se tocarían los asuntos relacionados desde la perspectiva de la sospecha y de la duda ("funcionamiento, retiradas y trampas legales, condiciones de los niños secuestrados por la mafia de las tutelas..."), y se contaría con la participación de personas afectadas. La conferencia tendría lugar en una de las direcciones de la *lista negra* del Ayuntamiento: Centro Social Autogestionado *La Mañosa,* en la calle de Rogent, 82, en El Clot.

En *La Mañosa,* el día antes de la cena de Navidad del 2003, Molly conoció al abogado salvador que la representaría en el curso venidero. "Asistí a una asamblea en la que se denunciaba la situación en los centros de menores, y me lo recomendaron porque me asesoraría de manera gratuita. Ernest se interesa mucho por los problemas sociales. Antes de hablar con él en el Despacho Independiente Laboralista y Popular yo ya había visitado, por lo menos, 15 o 20 abogados, y todos me dijeron que no se podía hacer nada más de lo que se había hecho. Ernest Duran fue el único que me propuso seguir luchando."

La agente de la Audiencia Provincial de Barcelona, Marta, la correveidile asignada a la magistrada de turno, que en este caso era María José Garzón, se acercó al abogado con este requerimiento: la vista sería a puerta cerrada.

Omar, el chico de las causas perdidas de *La Mañosa,* le propuso a Molly, seguro de sí mismo, montarla bien gorda:

Omar.—Si tú quieres que entremos contigo, o que hagamos una sentada aquí, y la liemos, nos lo dices. Si tú vas, nosotros te seguimos, pero eres tú quien tiene que decidir.

Otros ya le habían advertido, pero fue Ernest Duran quien puso calma en el montículo del cabreo. Molly entró con Duran en la Audiencia hasta tener frente a su cara el rostro de la jueza. Previamente, Marta, la Agente de la Audiencia con

Familia en Alemania, había hecho pasar a una sala adyacente a los testimonios de las dos partes. Por Molly, entrarían la pediatra de cabecera Pilar Foix, la enfermera Dolors Caro y la psicóloga Petra Fonts. Los testigos habían sido aceptados por la Audiencia. Cada una, a su manera, dijo su verdad.

La pediatra Pilar Foix aseguró que la niña Sara Malone era normal y que la madre había actuado con corrección. No consideraba que hubiera maltratos, aunque estaba al corriente de los informes médicos del Hospital Sant Pau sobre la fractura de fémur de Sara, en el 2001. "Declararon la situación de desamparo con la excusa de que la madre había desaparecido con la niña, y omitieron la información del ambulatorio así como las presiones que nosotras habíamos recibido."

La enfermera Dolors Caro coincidió en que la niña debía estar con su madre. Aseguró que la niña y la madre estaban bien y que el centro de menores omitía la información que ella le pasó. Ni negligencia ni maltratos.

"Le dije la verdad sobre lo que vi. Las cosas que me preguntaron las negué: calumnias como que si no la sacaba al patio, que la niña no reía, que si había maltratos... Negativas. El abogado defensor me preguntó si me habían llamado del primer sitio de acogida, Els Tarongers", reaccionó Dolors con la osadía del general Schwarzkopf. "Le dije que se tenía que estudiar mucho la situación para separar madre e hija. Yo creo que Molly es una buena persona, no veo maltrato, fue muy correcta, ansiosa, pero hay muchas madres primerizas ansiosas. Pilar y yo vimos a la niña desde su nacimiento hasta los ocho meses, en el CAP de Sant Andreu, en el pasaje de Sócrates, 44, en Sant Andreu. Molly era una señora soltera, con su pasado como otras tienen su pasado, y muy perseguida (todos estaban pendientes de ella, como una *madre de riesgo*). Ahora Molly habla muy bien el castellano, que antes hablaba muy mal. Nadie se ha personificado ni nos ha llamado para saber cómo está el caso. La chica en ningún momento nos ha molestado ni nos ha pedido venir a declarar. Vino al ambulatorio y me explicó que se había movido por su cuenta y que encontró un abogado que la había querido ayudar, un hombre estupendo. Cuando le dije que yo estaría encantada de declarar, se le abrieron los ojos... Yo no sé de estamentos, no los conozco, pero sé que las etiquetas puestas a una persona se hacen grandes..."

La psicóloga Petra Fonts dijo que solicitó hacer un peritaje a la niña porque se lo pidió el abogado Ernest Duran. Como profesional, consideraba que existían "incoherencias" en el sumario.

Cuando la magistrada acabó de escuchar los testimonios que hablaban a favor de Molly, le tocó el turno a la parte contraria.

Testificaron la directora del centro de menores Els Tarongers, Inés Agustí, y la educadora Concepció Bernabeu. No se requirió a la educadora Milagros Roig.

La jueza preguntó a la directora si sabía quién había firmado algunos informes anónimos, con las siglas 'RF' en el margen inferior de las páginas que ella leía en el estrado. La directora le contestó que no lo sabía y que, en todo caso, había que preguntar a la asistenta social Amparo Fornes, quien, según Molly, actuó como jueza-policía-médica-psiquiatra, todo en uno.

Tres horas duró la tertulia en la que unos se echaban en cara las suposiciones que los otros rebatían. Molly salió sin lágrimas, destemplada, cubierta por la conspicua sensación de que no se había dicho todo, como si del capazo de los oradores no hubiera salido el fin último de lo sucedido.

La procuradora de los tribunales Francesca Seboles le diría más tarde que estaban poniendo una "atención especial" en su caso. El abogado Ernest Duran opinó que la vista fue bien, pero Molly no las tenía todas consigo.

Molly.—Yo no estoy segura porque las apariencias engañan, tienen una sonrisa y luego... Yo no sé qué hay en la cabeza de una jueza.

Molly pasó unos días en los que le costó conciliar el sueño. El martes 3 de febrero del 2004, le llamó la procuradora. Al día siguiente, miércoles, le comunicarían la sentencia, en el mismo lugar, en la Audiencia Provincial, a las 11 horas. Molly rememoró su pasado para hacerse daño. Quedó con una amiga y se desahogó: "Yo no he visto a mi niña desde noviembre del 2001. Me la quitaron porque estuvo ingresada dos semanas en Sant Joan de Déu. Parece ser que la niña estaba en busca y captura porque yo había dejado de visitar los *serveis socials*. Según ellos, no sabían mi dirección y no me localizaban. Decían que estaba en paradero desconocido. Solicitaron a la brigada de menores de los Mossos d'Esquadra 'la localización de una menor en paradero desconocido y en situación de riesgo'. Ellos tenían mi dirección, pero nadie me vino a buscar", borboteó Molly, hecha un flan, lívida como un arenque ahumado. "En septiembre del 2001 me caí con la niña cuando salía de casa, y se lastimó la pierna. Era una situación de nervios. Salí de casa y el suelo estaba mojado y pisé lo que estaba mojado y en la planta baja no había luz y fue un accidente tal y como consta en el hospital: 'Accidente casual'. A partir de ahí tenía visitas semanales, una hora por semana. Había unas normativas muy estrictas. Me cortaron las visitas al hospital por 'mal comportamiento' cuando les dije que llamaría a mi abogado. Me impedían que la cogiera en brazos para que no pidiera pecho. Desde entonces, Sara ha estado ingresada en tres centros de menores diferentes. Me dicen que yo no tengo vínculos familiares y que soy una *persona de riesgo* y que eso es un perjuicio para la niña. Me dicen que no la dejo crecer, que soy excesivamente afectuosa, posesiva, intensamente posesiva."

Molly Malone acudió al juzgado acompañada de la pediatra Pilar Foix. Se acababa de celebrar otra vista de otra muchacha a horcajadas de la ruindad. La jueza María José Garzón se compadeció con la tibieza que da la calma: "Confío en usted", y añadió tras una pausa que le pareció tan larga como un calendario: "Le vamos a devolver a la niña. Manténgame informada de su estado. Mándeme fotos de ella". Le dio consejos de abuela, que sí fueron bien recibidos: que comiera, que llevara a la niña a los servicios sociales, que buscara el apoyo de su gente y que se comportara como se esperaba de una mujer madura. "Ah, y me dijo que no me alterara." Ese fue su día más feliz.

—Volví a nacer —dijo Molly.

CAPÍTULO 2. El aplomo de Molly

La última vez que Gustavo vio a Molly Malone fue en el mismo lugar donde la conoció. En un restaurante de comidas rápidas en la plaza de Urquinaona, aquella parecía una tarde repetida para la ocasión. Ambas habían sido de lluvia necia y pertinaz que salpicaba la ventana alta junto a la mesa. Incluso la temperatura era muy similar, con la astucia del frío porteño y mediterráneo para hacerla sentir con más intensidad en los huesos. Los dos momentos se asemejaban.

El primero fue en otoño; el último, en invierno. Entre uno y otro habían pasado unos cuatro meses. Molly siempre iba acompañada de una carpeta azul hinchada hasta la deformación, engordada a base de informes, partes médicos, recursos de apelación... Se agarraba a ésta como si de eso dependiera su vida. O lo que es lo mismo, el reencuentro con su hija Sara. Ante cualquier pregunta sobre su caso, lanzaba los documentos sobre la mesa como ases de la baraja para argumentar sus explicaciones. Las municiones que utilizó en su batalla quijotesca contra los servicios sociales de la Generalitat. Una abrumadora cantidad de celulosa digna de un juzgado de instrucción, en el que se archivan las causas perdidas desde que las leyes existen. Un legajo tan vasto que pudo intimidar a más de un letrado que creyó en Molly, pero que vio en su historia algo más que una madre desesperada por recuperar a su hija. Como ocurrió con la letrada Rosa Rodríguez, que recibió intimidaciones y empezó a perder a otros clientes cuando se volcó en el manuscrito de penurias de la mujer kazaka.

No le importaba que otros le hubieran dado la espalda. La fragilidad de su ligera contextura contrastaba con el aplomo de su relato. Pero con los fragmentos dedicados al recuerdo de la niña, un relámpago invisible pasaba por los ojos que se posaban en la lluvia que caía sobre la plaza. Los cristales de su voz se quebraban, con honor, sin alteraciones ni lágrimas. Las manos inquietas pasaban por su cabello, la frente, las mejillas, como hurgando en el laberinto de sentimientos que intentaba dominar. Entonces siguió con el recuento del último año y medio, desde que la DTAIA declaró el desamparo de Sara Malone (10 de noviembre del 2001). Que no hubiera llorado a mares cuando se remontaba a los antecedentes de la pérdida de su hija, decía mucho de un carácter fuerte para el que las penas no eran ninguna novedad. Entonces respondía con monosílabos a las averiguaciones sobre su pasado y sobre su situación personal. Se extendía sólo con las fechas, nombres y datos de lo estrictamente legal. La persona, el alma, la familia, la tierra no eran precisamente el tema adornado por las galletas y el café. Hasta ese primer acercamiento con Gustavo, habían transcurrido casi dos años de resistencia legal para recuperar la custodia de Sara. Había aprendido a controlarse ante la injusticia, porque muchas veces el desahogo le brotaba hasta por las uñas.

Así la recuerda Rosa Rodríguez, la primera abogada que asistió a Molly, en noviembre del 2001:

—La conocí a través de la asociación la *Lliga del Biberó de Catalunya*[2], en la que, entre las madres y las voluntarias, nos ayudamos para la crianza y la lactancia de los menores. Ella contactó a través de una amiga, porque decía que no le dejaban dar el pecho a su hija en las visitas. Así lo determinaron las trabajadoras de la DTAIA cuando la niña tenía 13 meses de vida. Entonces, Molly llamó. Fue en noviembre del 2001, cuando al preguntármelo, le dije que sí tenía derecho a darle el pecho a la niña. Ella estaba en la visita y yo en mi despacho. Me puso al teléfono a una de las cuidadoras del centro de visitas para menores que está en la calle de Aragó de Barcelona. Ésta consideraba que las visitas al equipamiento no eran para dar el pecho.

—Luego quedamos en vernos en el despacho –continuó explicando-. La encontré muy desesperada. Era lo peor que le podía pasar a una madre. Estaba muy sola. El padre era un italiano que nunca la quiso. Tampoco tenía familia en Kazajistán. Vi que la trataban muy mal en las dependencias de la DTAIA, tal vez por ser inmigrante y pobre. Siempre fue una chica considerada. En esa época ella trabajaba en una panadería y, a veces, me traía las pastas que sobraban. Me involucré y me ofrecí a trabajar en su caso. Le propuse que me fuera pagando como pudiera, así que ella me entregaba de vez en cuando 50 o 100 euros, lo que podía. En total, unos 1.500 euros a lo largo de un año. Pero era evidente que no era rentable. Incluso sólo por las llamadas diarias y desplazamientos para conocer dónde estaba su hija. Pero yo no lo hacía por dinero. Hubo un día en que trajo los juguetes de Sara en una cajita. Estaba casi resignada. Quería entregarlos a los funcionarios para que se los dieran cuando la menor tuviera unos siete años, así sabría que tenía una madre. Eso fue para el primer juicio, en octubre del 2002. Fue duro para ella. Al principio tenía muchas ganas de hacer todo lo necesario, yo también era muy positiva. Pero había altibajos. Incluso algunos colegas y cuidadoras me preguntaban: '¿Por qué haces esto?'. Había algo en Molly que me decía que valía la pena el esfuerzo. Sería su voluntad, quizá incluso algo animal. Como un pequeño leoncito que lucha por sus cachorros. Hasta le abrí el despacho los sábados. Antes del primer juicio nos veíamos a diario, luego cada semana. Después decidió seguir con otro abogado, a quien conoció a través de otras personas en su misma situación. Eso fue en diciembre del 2002. Luego hubo un tercero, pero el procurador siempre fue el mismo. Creo que también necesitaba a alguien con quien hablar, pues llegué a ser su psicóloga. Noté que en los servicios sociales en lugar de apoyarla, la solución adoptada fue quitarle a la niña. Todas las medidas que le aplicaron fueron exageradas. Sobre sus medios de vida, recuerdo que ella tenía un piso de alquiler y que arrendaba las habitaciones, así que era muy espabilada. Era una persona conciliadora, contenta y correcta. Incluso se acordó de mí cuando le devolvieron a Sara y envió un correo electrónico agradeciendo a todos los que la ayudamos. A veces, desconfiada, por todo lo que estaba viviendo. A ratos, también, deprimida. Durante el tiempo en el que asumí el caso, ella trabajó primero en la panadería, luego en un par de agencias inmobiliarias. Era lista, porque así se las apañaba para hacer los trámites y cumplir con las citas en los servicios sociales, casi siempre en horas laborales. Creo que su verdadero problema fue que no se pudo controlar. Se desesperaba al verse en esa situación e incluso llegó a las manos con una de las cuidadoras. A un guardia le arañó con las uñas por un incidente. Algo tan terrible que nunca fui capaz de ponerme en su situación. Pasaban cosas que no tenían sentido. Llegó a mostrarme un vídeo en el que traían a la nena en un coche sin dispositivo de seguridad para menores, sólo con el cinturón. Estamos hablando de una niña que entonces tenía dos años, y el cuidador que la llevaba no respetaba esta mínima norma de tráfico. De manera que era normal que ella reaccionara así. O cuando llamaba yo como su abogada, era como si hablaran con el diablo. Me colgaban el teléfono. Me decían cosas muy desagradables como '¡Molly está como una regadera!'. Así que cuando conocí la sentencia que le devolvía la custodia de su hija fue una gran satisfacción también para mí. Llevo 13 años ejerciendo y siempre consideré estas situaciones una injusticia.

La fortaleza de carácter no era sólo una impresión de ese primer encuentro con Gustavo. Para la mejor comprensión de su dramática historia, en los días posteriores Molly le envió varios mensajes de correo electrónico con una variedad de informaciones. Además, envió el contacto de los dos primeros abogados, el de otras personas en su situación, el de menores que habían pasado por los mismos centros que su hija, el de entidades que la apoyaban, como la Asociación Nuevos Grupos[3], Singular-12, y los contactos de funcionarios resabiados por las imperfecciones del sistema. También recibió información sobre las denuncias, los recursos y toda la maraña de oficina que resulta incomprensible para el que no lo ha padecido.

El 3 de noviembre del 2003, a Gustavo le hizo llegar un documento adjunto, suelto, como el corta y pega de otro, que según cómo resultaba bastante esclarecedor. Lo había escrito ella misma:

"Presente y pasado de Molly Malone:

Inmigrante extracomunitaria de 32 años y sin familia, aunque tiene un pariente lejano en la región francesa de Normandía que se dedica al cuidado de caballos frisones. Pidió ayuda a los servicios sociales por una discriminación laboral (estando embarazada de cuatro meses, de baja laboral por una complicación en su estado, no recibe la prestación debido a que el dueño de la empresa donde está contratada no la aporta, pero no le despide hasta después, así que hasta entonces le dicen que no puede cobrar en la Seguridad Social).

Su familia de origen es de Kazajistán (madre

muerta por enfermedad, hermano muerto cuatro años también por enfermedad, y padre desaparecido en combate durante la ocupación soviética de Afganistán). Migra a Galicia, donde vive y trabaja tres años, y luego a Barcelona, donde comparte piso y trabaja. Forma pareja y queda embarazada y su compañero se marcha. Es ahí que recurre a los servicios sociales para ver cómo afrontar su situación futura de madre soltera. Ante la no respuesta de su SS [Servicio Social] primario, al final recurre a Emergencias, para preguntar sobre una ayuda puntual y pagar así el alquiler o la residencia para madres solteras.

Informe de los servicios sociales*: "Vive en solitario", "No tiene vínculos con su país y con su familia", "Se cabrea con los vecinos, especialmente si tienen dogos"; "No tiene capacidad de vincularse. Preguntamos: ¿Cómo mantendrá a su hija?", "Todas las informaciones que disponemos hacen sospechar de actividades mafiosas", "Nunca nos proporcionó información para comprobar su situación laboral", "Estaba residiendo con unas amigas", "Recurre a servicios sociales", "Factores de riesgo: actitud exigente al reclamar ayuda", y a la vez: "No es conciente de las necesidades de la niña".

(Los SS dicen que no se relaciona con su familia pero consta que había llegado a Barcelona hacía dos meses luego de visitar a sus abuelos. ¿Dicen que puede estar relacionada con la mafia, por su aspecto o por su nacionalidad, si no tiene antecedentes? Dicen que no propor-

cionó información sobre su situación laboral, pero en el expediente se incluye su hoja de vida laboral. Dicen que tiene derecho a ayuda como madre soltera y, después de meses pidiéndola, la ayudan durante tres semanas con la condición de que deje su piso que ya no puede pagar, y con la promesa de conseguirle una residencia para ella y su hija. [...] Le ofrecen la posibilidad de dar a su hija en adopción y le recuerdan que criar sola a una niña o a un niño no es tarea fácil, y menos en su caso. Ya en esta época estaba hecha la propuesta de "desamparo", propuesta ilegal porque no fue comunicada a la madre. La verdad: no le estaban buscando nunca la residencia para madres solteras)."

[* El encomillado es tal como aparece en el expediente. Se transcriben las frases acusatorias de algunas de las contradicciones. Lo que va entre paréntesis y en cursiva son comentarios de Molly Malone, quien hizo la compilación.]

Para entonces habían pasado dos años de ese escrito. El aspecto de niña grande que tenía Molly escondía una kafkiana personalidad. La lucha sostenida por recuperar a Sara se había convertido en su razón de ser. Lejos de apagarse lentamente como ocurre con las causas perdidas que se quedan sin soñadores —los mismos a quienes la dictadura de la razón ha mal llamado idealistas—, su esperanza parecía encenderse como una candela de persistencia hecha hoguera. Todo lo que hacía tenía el nombre de Sara. Mientras más le negaban verla, con mayor fireza se agarraba al clavo ardiendo de la apelación. Necesitaba tener abierta la herida para seguir viviendo. Tenía que sentir que se ahogaba para desear respirar, tener hambre para saborear con gusto los alimentos. La mujer debía parir para ser madre. Recuperar a la niña se había convertido en el origen y el fin de todo lo que la rodeaba. El maná de los hebreos, el paraíso de los católicos, el nirvana de los budistas. Todo eso no sólo era el resultado de soportar la más exigente resistencia emocional. También estaba la voluntad con la que asumió su empresa. Como la perseverancia y el rigor, con la misma frialdad con la que soportó los chantajes morales de las trabajadoras sociales cada vez que se enfrentaba a ellas, la voluntad forma parte de ese conjunto de hábitos que se forjan ante la dificultad. La adversidad convertida en arte. La de Molly Malone fue una adolescencia de canciones. Para alcanzar su independencia del régimen comunista, un millón de kazakos se dedicaron a entonar en las calles, durante cuatro años seguidos, sin detenerse a pensar si valía o no la pena, canciones patrióticas prohibidas por los rusos. "Я казах, я останусь Казахский" ["Soy un kazako y seguiré siendo un kazako"], decía uno de los célebres títulos del cantante Bajitzhan Kanapianov. El resultado fue la única secesión de las antiguas repúblicas soviéticas que, en 1991, se consiguió sin derramar una gota de sangre. Se llamó la Revolución Entonada.

En junio del 2003 Molly conoció a Josefa Vázquez y a Luigi Garibaldi, de Singular-12. Los puso en contacto un conocido en común de Lleida y un par de llamadas. La empatía y la disposición por apoyarla fue tal, que luego de una semana ella se mudó a la sede de la entidad, en el Eixample. De un cuartucho de cuatro paredes sin ventanas en el barrio de Gràcia por el que pagaba 350 euros, digno de un miserable personaje de Dostoievski, se mudó a un despacho en la ONG donde trabajaban sus dos nuevos amigos. Tampoco se podría decir que supusiera una mejora sustancial, pero al menos era gratis y con cierto respaldo logístico para cumplir con su objetivo. Dormía ella en el centro de una estancia, en un camastro con unas mantas como remedo de colchón, con galería a la calle y rodeada por los acogedores estantes de libros que subían hasta el techo. Un refugio del mundo, del que salió en diciembre del 2003 por desacuerdos con ambas personas. A algunos les dijo que vivía en Murcia (?), donde al parecer tenía un trabajo como niñera. Pero otros también sabían que ésta sería su residencia mientras permaneciera en Barcelona. En la sede de Singular-12, en la calle de Cartagena, un vetusto y sórdido ascensor subía y bajaba repleto de poesía urbana y diseños obscenos. En el interior, junto a la estrecha puerta de acordeón, un anónimo grafiti quizá reflejaba muy bien un momento tan difícil de su vida.

"Sé que soy la noche

y un bosque de árboles oscuros.

Pero aquél que no tema mi oscuridad

encontrará rosas bajo mis cipreses."

Arrumadas en torno al camastro, reposaban todavía sus ropas y los juguetitos de bebé. Aún un par de meses después de recibir la sentencia que le devolvía la tutela, seguían ahí como las reliquias de una civilización antigua que se niega a extinguirse. No quería volver a Singular-12. Cuando se confirmó, en noviembre del 2003, la reapertura del caso con un nuevo juicio, antes de la ruptura con Luigi y Josefa, se volvió irascible con ellos. Eran los días clave para preparar la batería de argumentos a su favor y para demostrar que era una madre que merecía ver crecer a su hija. La expectativa, demasiada, una exuberancia de esperanza, pues era el segundo y último juicio. La siguiente instancia habría sido la Corte Suprema, un nuevo y largo proceso de al menos dos años más. Así que la tensión se estiró hasta el límite, y Molly decidió dejarlos. Habría ido a una casa *okupada,* dijo Josefa, con una tal Marta. Lo cierto es que se suspendió irremediablemente la comunicación, y esperaron en vano a que apareciera para remitirle sus pertenencias.

La paraguaya Josefa Vázquez ejerció en su país como trabajadora social. Vive en España desde hace 10 años. Narra su experiencia con Molly en la última etapa del periplo legal, en la que fue vista como una posesa entregada a sus archivos y estudiando hasta el código deontológico de las trabajadoras sociales:

"El 21 de junio llamó por primera vez. El 24 asistió a una de las charlas que damos en Singular-12, y el 28 ya vivía aquí. Hasta que se fue, el 17 de enero del 2004, cuando nos cortaron el servicio de teléfono. Supongo que lo necesitaba mucho. Las relaciones entre nosotros se empezaron a dañar a finales de noviembre del 2003, cuando le dijeron que se reabría el caso. Diría que es una persona con un carácter muy fuerte, sólo la vi llorar una o dos veces en todos esos meses. Llegó a estudiar todo el código deontológico de las trabajadoras sociales. Estudió el cerebro de estas personas, para anticiparse a ellas. Se dedicó con tanto esfuerzo a la tarea de recuperar a su hija, que casi renunció a sí misma. Llegó a dominar el Código Civil, el Código del Menor, todo tipo de leyes, especialmente todos los artículos que la DTAIA mencionaba en sus informes, como el protocolo de desamparo... Hasta tomó un nombre de guerra: *Silvia*. Lo empleaba para simplificar las cosas, para que la recordaran con mayor facilidad. A las 10 h empezaba la jornada y trabajaba para el caso, sin descanso, hasta las dos o tres de la madrugada. Se convirtió en una verdadera máquina, impresionante. Una de las personas que colaboró en el proceso dijo de ella: «Dadle un sindicato y levanta al país entero». También es admirable que llegara a dominar el idioma a la perfección, excepto los sustantivos femeninos y masculinos."

"Ella solía decir: «¿A quién se le ocurre hacer esto? En mi país no se meten en la vida de las personas ni subestiman a los menores». La verdad es que las funcionarias eran unas desgraciadas con ella. Unas tres veces la acompañé a las visitas y pude comprobar cómo la trataban. Exigían que entrara sola, pero ella se negaba porque quería testigos. Entonces la provocaban. Le decían: «¿Quieres saber qué haremos con tu hija?». Y ella respondía: «No, no quiero saber. Quiero verla». Pero la trabajadora social replicaba: «Muy bien, entonces pondré en el informe que no quieres saber lo que haremos con ella». Se convirtió en un juego de provocación y ella resistió sin dejar caer una sola lágrima. Tenía un temple para tragar todas esas cosas. De alguna manera había conseguido información, filtrada por los trabajadores, de que se daría en adopción a Sara si perdía el juicio. Desconozco las fuentes, pero ella se adelantaba siempre. En mi país todas las trabajadoras sociales son rabiosas. Tienen complejos, porque no son doctoras ni sociólogas. Son técnicas y como tal la sociedad las categoriza. Al mismo tiempo, tienen un gran poder sobre los padres y los menores."

"Al conocer la sentencia envió un correo electrónico a L. (director de Singular-12) como agradecimiento por todo lo que habíamos hecho. Fue después de una semana en la que nadie supo nada de ella, incluido el abogado. Desde entonces se distanció de todos, y ahora sabemos que se encuentra con su hija en Murcia. La única persona con la que se mantiene en contacto es con la psicóloga Petra Fonts, del Centre de la Infància. A través de ella intentamos obtener una dirección para enviarle las cosas que dejó aquí, un par de maletas y los juguetes de Sara. Pero fue imposible. Ahora las hemos guardado en un ático."

Con la misma intensidad vivió Luigi Garibaldi su relación con la kazaka. Su propia teoría del distanciamiento de Molly es que luego de haber acumulado una enorme carga emocional, "el cuerpo necesita reaccionar". Luigi es un italiano de Ferrara que reside en Barcelona y que dicta charlas sobre el cáncer y el sida. Cree que la única manera de sobrevivir ante un sufrimiento intenso, en este caso la pérdida de una hija, es luchar. "Pero el estrés hay que descargarlo, de lo contrario, somatizas."

La última reunión de Molly con Gustavo coincidió con esa semana de reticencias que sólo ella puede explicar. Fue en el mismo restaurante de comidas rápidas, con la lluvia fina de un invierno que estaba agonizando, mientras en algún centro de acogida Sara ignoraba el castillo jurídico construido a su alrededor. Había ingresado en las entrañas del sistema con sólo 13 meses; ahí aprendió a caminar, pronunció sus primeras palabras y también, si cabe, conoció los segundos afectos después de los de su madre. La mujer se encontraría a una criatura distinta y quería evitar cualquier error, el más mínimo malentendido que pudiera echarlo todo a perder. Para ese último encuentro con el periodista, la cuestión era apuntalar la sentencia del 3 de febrero del 2004. Habían pasado tres días desde el fallo y nadie daba explicaciones de su hija. La publicación del dictamen judicial era un recurso oportuno para el periodista y para Molly. Por lo fresco de la noticia y por la frialdad de los servicios sociales. El encuentro había sido pactado para un trabajo de fotografía, que acompañaría el artículo para el diario *Público,* camino de la imprenta. Sería el puntapié ideal para engrasar la maquinaria administrativa y desbaratar el castillo. Maldito o bendito, lo que fuera, pero ya oficial. Inesperadamente, Molly empezó a recular cuando se le preguntó por los detalles de su vida. Todo era una negativa, un muro de discreción infranqueable. Porque casi nada de lo que cuenta esta narración se sabía entonces. Ni de su familia en Kazajistán ni las motivaciones para venir a España ni su ocupación laboral. Se bloqueó, se paró en seco, a pesar de que parte de esa información había sido ya compartida en la primera entrevista. La nota periodística necesitaba una historia y un rostro. Ella lo celaba.

—Debes decidir ahora si seguir adelante o no, porque mañana habrá revuelo en la DTAIA y tenemos que contar la historia completa –le advirtió el periodista. Gustavo sintió la adrenalina que le hacía vibrar la médula. Exactamente la misma ansiedad que experimentaba cuando tenía entre manos una exclusiva. Pero también el pánico, bien disimulado, de que se escurriera como arena entre sus dedos. Después de todo, en el fondo de su orgullo más íntimo, se sabía merecedor de la historia. Cuatro meses antes se había sentado con Molly, en ese mismo lugar, para escuchar con paciencia sus sinsabores. Aún a sabiendas de que absolutamente nada le garantizaba que sería motivo de un reportaje. Así se lo hizo saber. Podría haber sido uno más de los testimonios crudos que deambulan por la ciudad. Gustavo sabía que en su trabajo, la mejor inversión era escuchar a la gente. Pero ahora la tenía ante sí, haciendo peligrar su artículo. Eso le preocupaba porque, además de habérselo prometido al editor, contaba con cobrarlo a fin de mes. Unos 130 euros, para pagar la factura del teléfono, la electricidad o el agua. Notó que ella quería seguir adelante, pero se escamó ante cualquier indagación que perfilara su persona. Entonces acordaron que se haría la publicación con la información disponible, a pesar de la desconfianza generada.

—Debes entenderme, con todo lo que me ha pasado ya no confío en nadie —justificó ella.

Ante esta declaración de principios, añadió que deseaba verificar el contenido de la noticia hasta en sus últimos detalles. Quería controlar la minucia de la coma y el punto, acompañar al reportero hasta su lugar de trabajo si fuera posible. Insistió en los matices, los dobles sentidos, las interpretaciones y subjetividades de las que se había apropiado la DTAIA para rematarla con su presunta incapacidad económica y psicológica como madre. Molly se conformó con el ofrecimiento de la lectura telefónica íntegra del texto. Luego quedó en manos del fotógrafo, a quien le arrancó el compromiso de la intimidad. La imagen que apareció en *Público* fue la de una mujer delgada, de apariencia sana, con las manos cruzadas sobre el pecho y el rostro vuelto hacia la ventana que miraba la humedecida plaza de Urquinaona. De la cintura hasta la mandíbula. Ante la escasa relación de aspectos íntimos en ese momento, la pieza informativa obvió la supuesta residencia en Murcia. En las horas posteriores quedó la constancia de su puesta en guardia ante los últimos coletazos de la tormenta jurídica que duraba ya más de dos años y que, a pesar de la resolución, todavía no amainaba para ella. Llamó al jefe de redacción del diario *Público* en Cataluña, al que dictaba sus últimos partes de guerra: "Cuidado con esto porque no es así, que aquello no es lo que parece, o esa frase cambia el sentido de equis documento y en cambio esta declaración pretende pintar lo que no es", indicaba ella al conocer la réplica de la Generalitat ante la decisión de los magistrados.

Habría que conceder la razón a Josefa Vázquez cuando aseguró que se adelantaba a las reacciones de los servicios sociales. Tenía estudiados sus comportamientos. En ningún momento dio por sentado que sería fácil el reencuentro con Sara. Este escepticismo calculado le hizo temer la actitud indolente de los funcionarios. La sentencia, del 3 de febrero del 2004, era clara, aunque cabía el recurso en los cinco días laborales siguientes. El fallo del Juzgado de Primera Instancia número 12 de Barcelona fue tajante:

> "Que ESTIMANDO el Recurso de Apelación interpuesto por DOÑA MOLLY MALONE contra la sentencia dictada por la Ilma. Sra. Magistrada-Juez del Juzgado de Primera Instancia número 12 de Barcelona, en fecha 10 de enero del 2003, SE REVOCA la referida resolución dejando sin efecto la Resolución de la DTAIA de 10 de noviembre del 2001, declarando la situación de desamparo de la menor Sara Malone, cuya tutela deberá ser reintegrada a la madre apelante. No ha lugar a hacer imposición de las costas causadas en esta alzada."

Entre los Fundamentos de Derecho, el tribunal conformado por tres juezas concluyó:

> "La necesaria protección al menor ha de procurarse atendiendo a su interés, pero sin ignorar la necesaria protección a la institución familiar a la que pertenece, institución familiar cuya protección a su vez garantiza el artículo 39 de nuestra Constitución; la declaración de desamparo debe efectuarse de forma restrictiva, buscando un equilibrio entre el beneficio del menor y la protección de sus relaciones paterno-filiales [...]."

> "[...] la existencia de testimonios contradictorios sobre una misma situación y la diferente evaluación que sobre cada uno de los hechos realizan los distintos profesionales que han intervenido, amén de las propias manifestaciones y la actitud

de la apelante, *comporta que se conciten serias dudas no tanto sobre la conveniencia de adoptar inicialmente medidas de protección, sino sobre si lo fueron de forma adecuada y proporcionadas a la realidad que se planteaba".*

"[...] Durante este tiempo la madre, cuya situación en este país está regularizada, ha alquilado una vivienda y ha trabajado en diferentes empleos, como se recoge en la sentencia. Sin embargo, se encuentra trabajando y en situación de empleo de alta en la Seguridad Social, según informe de TGSS [Tesorería General de la Seguridad Social], en Murcia, donde dice que vive y tiene trabajo como empleada de hogar y cuidadora, explicando que se ha ido a vivir a esa comunidad autónoma porque le resulta más barato y fácil encontrar vivienda y trabajo, argumento este nada baladí en la actual coyuntura económica [Parece ser que Molly Malone se fue a Murcia mucho antes del juicio, y vivía a caballo entre las dos Comunidades.] Es en virtud de lo hasta aquí expuesto que este Tribunal, examinada la prueba practicada y oídas las partes, considera que *no ha resultado suficientemente probado que la menor no estuviera siendo bien atendida por la madre."*

[Las cursivas, de los autores.]

En efecto, la respuesta fue como se esperaba. En una rueda de prensa, una declaración casi mecánica por parte de la *consellera* de Reacció Social, la unitaria Pepita Roig, dejó caer la frase más temida por Molly Malone: "Analizaremos si presentamos el recurso". Pese a la conclusión de las juezas, los asesores de Pepita la avisaron de que "existían motivos avalados evidentes" para retirar la tutela de la menor. La madre se refugió en la circunspección de esos cinco días tan largos como toda la espera por recuperar a Sara. Fueron horas estiradas en salas de estudio de las bibliotecas, al amparo de sus recuerdos más primitivos y de los documentos que constituían la sonda para llegar a lo más profundo de su tenacidad. Pensó en su madre: "Si estuviera con vida todo sería más fácil", se dijo a sí misma una tarde del 6 de febrero del 2004, mientras repasaba por enésima vez el legajo de la sentencia. Recordó el amor infinito que tenía por sus dos hijos, lo mucho que sufrió por darles una educación en medio del desmadre económico de la Kazajistán postsoviética. La comida y el combustible escaseaban cuando apenas aprendía a pensar como una adolescente. Tenía entonces 15 años. La persona que más quiso en el mundo antes del nacimiento de Sara le había enseñado con el ejemplo que una madre soltera y con coraje sí puede sacar adelante a una familia. ¿Por qué no iba a ser ella sola capaz de cuidar de la pequeña? ¿Quiénes eran las trabajadoras sociales para negarle el derecho a ser madre? ¿Tan malo es ser pobre? Todas estas preguntas rondaban en su cabeza. Como martillos que golpeaban los clavos de sus recuerdos, astillas que se hundían en las comisuras de sus ilusiones por recibir una llamada de los servicios sociales. "Si ella estuviera aquí, todo habría sido diferente", se repetía con el pensamiento en otra parte, invocando la presencia imposible de la abuela que no conocería a su nieta.

Transcurrido el plazo sin ningún recurso presentado, los servicios sociales declararon a la prensa, antes de que se comunicaran con Molly: "Solicitaremos al Juzgado un Plan de Acoplamiento, para dar lugar a la transición entre la menor y la progenitora". En realidad habían transcurrido dos semanas, pues se alegó que el tiempo corría a partir del día de recepción del fallo. Pero la frase que desató la ira de Molly fue la siguiente: "Le daremos una segunda oportunidad". Esto no se publicó por carecer de sentido, pues el tribunal ponía énfasis en lo desproporcionado de la medida adoptada inicialmente. Así que ella no dejó de repetir a Gustavo que esto era una mentira y que sería una falsedad incluirlo en el tercer artículo de la serie que sobre el seguimiento de su caso preparaba el rotativo *Público*. También al tanto de lo que se editaría, como en la primera ocasión, esta vez la conversación telefónica con el periodista se encendió. Él le reprochó que le hablara en esos términos. Ella replicó que no podía publicar mentiras en el periódico. La conversación adquirió un tono desagradable, irreversible. El reportero hasta le dio su consentimiento para que hiciera algo indigno de cualquier periodista. Le dijo que si así lo deseaba, podía llamar a la redacción y censurar el artículo del día siguiente. Pero ella reculó. Después de todo, no quería llegar a tanto. Sin embargo, él se había hartado de la situación, con tanta buena voluntad y recibiendo, al mismo tiempo, reproches, a su juicio, inmerecidos, que no eran otra cosa que el desahogo de dos años irreversibles. Gustavo redactaba sus notas en la diminuta habitación que había junto al salón de su piso alquilado en el barrio de Sant Andreu. La agitada conversación había tomado por sorpresa a su hijo de cinco años y a su mujer. El pequeño le miraba con los ojos como platos, mientras le exigía que le pusiera en el ordenador un episodio de *Spiderman,* bajado de YouTube. Pero lo que tenía en la pantalla era la crónica lista, pendiente de la aprobación final de Molly. Eran ya las 20 h y la imprenta esperaba las primeras páginas del diario. En el móvil sonaban las llamadas sin contestar del editor. Todos tenían prisa. Habría sido una locura cambiar los planes en la hora del cierre. Pero al final hubo acuerdo. "Supongo que en ocasiones debes hacer de psicólogo", le dijo ella. Una de las juezas del tribunal la llamó al ver la información. Ese día la kazaka escribió su último correo electrónico al periodista:

> "Hoy me llamaron desde la Audiencia y se preocuparon de si la DTAIA estaba cumpliendo. ¿Puede que tenga que ver con lo que se publicó hoy? Creo que esto es la presión que necesito. Estaba en la DTAIA y me estaban vacilando, pero pronto no podrán más y me tendrán que pedir perdón por todo el daño causado. No les guardo rencor, sólo exijo justicia.
>
> Pero estoy tan cansada...
>
> Gracias por todo.
>
> Un abrazo, Molly"

La mujer superó un régimen de visitas de dos horas diarias con Sara. Durante 40 días, hasta que finalmente se la llevó a Murcia. Cumplió su promesa con la jueza y le remitió fotografías de la menor, según supo por un miembro de la Asociación Nuevos Grupos.

En los dos, en Gustavo y Molly, arraigó el entendimiento tácito de que no se volverían a ver más. Molly continuó el contacto con Jesús.

CAPÍTULO 3. La tundra

Entonces, ocurrió lo inesperado, y de las llamadas acuciantes de Molly para refutar lo que consideraba falsos testimonios y mentiras arriesgadas se pasó a un punto de no retorno que los dos periodistas, Jesús y Gustavo, no lograron comprender. Molly desapareció. Se enteraron por terceros de que se había ido a Murcia. Concluyeron, con más dudas que certidumbre, que el proceso judicial la había afectado de tal forma, que lo que menos esperaba ahora era lidiar con unos reporteros que preguntaban del derecho y del revés. Molly desapareció del mapa sin dejar rastro.

La semana anterior a que se la tragara la tierra, en la primera semana de febrero del 2004, a Jesús le había bombardeado la bandeja de entrada del correo con sucintas declaraciones e interpretaciones personales de lo mal que ella lo veía todo y de lo mal que todos lo habían hecho con ella. Se defendía como una tigresa de las tundras de Siberia, descosida en su interior por los navajazos que había sufrido a lo largo de dos años interminables sin su hija Sara.

El viernes 6 de febrero, el periodista consultó su mail. Primero borró los comunicados de prensa, con texto y fotos mascados-y-listos-para-publicar, de lo más insospechados: de los *duartistas* dominicanos de Nueva York ("metapoetas, escritores, periodistas y artistas todos"), de la Galería Antoni Bosco y de la compañía farmacéutica Binger Intelton. Posteriormente, el periodista tuvo que añadir una nueva carpeta en su correo para poder almacenar los apremios, los ruegos y las llamadas urgentes que Molly se esforzaba en difundir, aún sedienta de sangre, desconfiada, apelante, sulfurada y dolorida. Sólo en un fin de semana le llegaron 20 mensajes, a intervalos de pocos minutos, con documentos adjuntos que se excedían en páginas de texto sesudas y señeras. Le asombraba la capacidad de trabajo de esta criatura. Apreciaba en su comportamiento un atisbo de hoy lo doy todo y mañana me hundo, como si una parte de su ser estuviera en lucha constante contra algo, en un desequilibrio que a Jesús le perturbaba porque no lo acababa de entender.

Leyendo *El periodista y el asesino,* de Janet Malcom, Jesús puso los puntos sobre las íes. En este libro, una periodista que colabora en *The New Yorker* analiza el proceso de elaboración de un *bestseller* con métodos poco ortodoxos, por no decir mezquinos. El ensayo relata el juicio al periodista Joe McGinniss a partir de una demanda del convicto Jeffrey MacDonald, acusado de asesinar a sangre fría a su mujer y sus hijos. McGinniss embaucó al condenado para que le contara los datos más escabrosos, compartiera con él los detalles de sus fantasías y revelara sus ocultos pensamientos, y se hizo pasar por su amigo con esta artera intención. Simplemente, quería escribir una historia rocambolesca y con mucho morbo para ganar el suficiente dinero con el que pagar la hipoteca y comprarse un radiador nuevo. "El 23 de noviembre de 1987, tres meses después del juicio, se llegó a un acuerdo para dirimir el litigio: McGinniss se comprometía a entregar a MacDonald 325.000 dólares", concluye Janet Malcom. Pues bien, algo le decía a Jesús que el caso de Molly guardaba semejanzas con *El periodista y el asesino,* aunque en este asunto las personas utilizadas eran los dos jóvenes reporteros. Quizá se saquen las cosas de quicio, pero realmente les descolocaba esas ansias de saber, esas preguntas inquiridoras que ella les hacía, antes incluso de que ellos hubieran desenvainado el lápiz con el que poder tomar sus notas. Les llevaba siempre dos vueltas de ventaja, y se mostraba amable y participativa, con una entrega y una ilusión que les desbordaba. Los periodistas se disponían a recoger los frutos maduros antes incluso de haber plantado el árbol. Jesús recuerda que una tarde, justo el mismo día en el que le comunicaron la devolución de la tutela de la niña, quedaron Gustavo y él con Molly, en la cafetería de la FNAC del centro comercial El Triangle. Ella llegó diez minutos tarde. Durante el siguiente cuarto de hora, trató de enmendar su retraso con repetidas disculpas de gata relamida: "Siento que ustedes se lleven esta imagen de mí, yo quería llegar a la hora, de verdad, me sabe mal que hayan esperado". Ni la escucharon, porque encontraron superficial sus 10 minutos, cuando en España sólo a partir de la media hora de la cita fijada se puede medir la tardanza.

El viernes 6 de febrero del 2004, Molly le envío el primero de sus mensajes a su ordenador, haciendo caso omiso a la insistencia del periodista para que no le volviera a llamar de usted: "Le mando la sentencia en documentos adjuntos".

Minutos después, otro envío perentorio: "Le mando los informes psiquiátricos. Se ve cómo iba cambiando el diagnóstico a medida que la DTAIA iba llamando. Lo significativo es que el psiquiatra admite que no le visitó entre el segundo y el tercer informe pero sin embargo me diagnostica algo nuevo, y que la DTAIA no me hizo seguimiento durante un año por 'exceso de trabajo', como manifiesta, pero hizo 'seguimiento' al psiquiatra que, según ellos, 'no me había podido encontrar nada en las visitas'." [Se respeta la ortografía original, como en las siguientes transcripciones.]

Al poco, una parrafada reveladora de su incontrolada pertinacia y de la vesania que amamantaba cada uno de sus actos: "Si le parece, quizá trate con reserva lo que le puedan decir en Singular-12 y se ponga en contacto directo con los afectados que lo han vivido, porque de todas maneras toda la información que tiene Singular-12 sobre este tema lo han recibido de mí o de las personas a los que han conocido a través de mí, pero en Singular son bastante superficiales y además como les interesa la publicación y hacer dosieres también para recoger dinero, a veces tergiversan las cosas un poquito".

Al día siguiente, sábado, el fuego graneado de sus correos alcanzó su momento álgido, y ya ni se molestaba en reparar en las presentaciones; directamente le enviaba los documentos para que los abriera. En ellos utilizaba el nombre de *Silvia,* el seudónimo que eligió para "facilitar" el papeleo:

> "Le mandé las tres cartas que se presentó a la Audiencia como complementos del recurso de apelación presentada con anterioridad. También le mando dos cartas que resumen mi caso aunque no se presentaron a ningún lado, y documentos de los funcionarios que son traducidos a castellano y transcritos por mi desde cuando estaba consultando con un abogado de Galicia.

> Mi lengua materna es el kazajo, y el alfabeto es cirílico, muy diferente a los idiomas de origen latino.

> También le mando la carta de apoyo a la infancia que firmamos unos trescientos afectados y que mandamos a la *consellera,* colegios de trabajadores sociales, asociaciones, etc. Le mandaré una transcripción de los testimonios en la vista ya que no se me permite difundir la grabación de la vista por el hecho de que, al final, fue a puerta cerrada. Disculpe mi poca seriedad y puntualidad, estos días he tenido una carga emocional que se

ha puesto de manifiesto después de dos años y medio de tensión. Quizá he estado un poco estresada, pero me han hecho pasar muchos nervios. Muchísimas gracias por todo su interés y tiempo.

Un cordial saludo, Molly".

Molly, con la concienzuda versatilidad de sus dotes para compendiar su lucha por recuperar a Sara, le hizo llegar a Jesús una "declaración sobre la intervención de las administraciones públicas". Se trataba de una enumeración de los hechos, desde su embarazo hasta que le quitan a la niña, con continuas represiones, y más arisca que la Nobel Herta Müller con los esbirros de la *Securitate* de Ceaucescu. En el primer punto denigraba el sistema catalán de salud por entender que actuaba a sus espaldas.

"1. A los 5 meses de embarazo (pedido de ayuda a los Servicios Sociales Primarios), me dieron cita para cinco meses después para finales de octubre de 2000 aduciendo periodo de vacaciones aunque yo (madre soltera) me encontraba en baja laboral con reposo por embarazo de riesgo y no tenía ingresos ningunos por causa de la morosidad de mi empresario. Semanas antes de llegar esta cita programada con los Servicios Sociales Primarios fue concedida una cita con ellos cuando por fin había decidido acudir a Urgencias. Los Servicios Sociales Primarios hicieron una propuesta de desamparo a la DTAIA a los pocos días de entrevistarme (propuesta que fue denegada por la DTAIA), mientras me prometían ayuda para la vivienda y una renta mínima de inserción."

En el punto 2, Molly lamentaba que la DTAIA hiciera caso a los servicios sociales que, según confesaría más tarde, jugaban con ella como en unas maniobras de diversión.

> "2. La ayuda otorgada fue temporal y suponía la pérdida de mi estabilidad de vivienda (al no haber disponible ninguna ayuda puntual para alquiler, ofrecieron estancia en una pensión y luego en un hostal durante tres semanas en total mientras, según dijeron, gestionaban una plaza en una Residencia para Madres Solteras y en Riesgo de Exclusión) y no cumplieron los compromisos que había firmado con la EAIA [Equipo de Atención a la Infancia y la Adolescencia] y los Servicios Sociales: específicamente el de la plaza en la residencia. Ante el no cumplimiento del compromiso de residencia acordado y ante la declaración de que la ayuda temporal había terminado, avisé que me arreglaría por cuenta propia, y los Servicios Sociales hicieron otra propuesta de desamparo que esta vez fue *validada por la DTAIA*."

En el punto 3, Molly les echaba en cara que jamás constataran si vivía o no en condiciones, puesto que, según ella, ningún funcionario de la Generalitat se personó en su casa de la calle de Ignasi Iglesias para comprobar "los hechos".

> "3. Esta propuesta se basó en calumnias y alegatos subjetivos de los Servicios Sociales sobre mi vida que fueron dados como "hechos" sin que nunca hayan existido, y se basó en el rótulo de "desaparecida" con el que fui catalogada mientras en el mismo expediente constaba la direc-

ción del piso en el que había ido a vivir con la niña (calle de Ignasi Iglesias, XXX[4], 1º 4ª, proporcionada por mí). Los SS no cumplieron su obligación de ir a verificar las condiciones de mi vida y de la niña."

Molly, colorada como un tomate, sacaba a relucir las "inconsistencias" y las torpezas que, según ella, cometieron los agentes sociales. En noviembre del 2001 se llevaron a su hija, después de que se enterara de que había sido fichada y declarada como "ausente".

"4. La DTAIA me retiró a mi hija en noviembre del 2001, luego de "localizarla en el hospital después de un año de desaparición" sin que se comprobasen en el año transcurrido las alegaciones del informe de los Servicios Sociales Primarios y sin nunca tener en cuenta documentos tan fundamentales como: informes médicos, empadronamientos, comprobantes de recursos económicos, inexistencia de antecedentes policiales, etc."

La madre se agarró a un clavo ardiendo con lo que, para otros, podrían ser anotaciones marginales. Leía y releía los informes que poseía para extraer de ellos el oro con el que pudiera comprar la libertad de su hija.

"5. Hicieron constar "sospechas de posibles malos tratos o negligencia" en el hospital y alegaron la "realización del protocolo médico de detección de posibles malos tratos posterior al ingreso" sin que estas sospechas nunca hayan sido constatadas en ningún informe médico (en el informe médico constaba "accidente casual sin antecedentes patológicos de interés")."

Molly no dejaba títere con cabeza, asumía sus deslices y culpaba a la DTAIA de "negligencia".

"6. Así que durante el año siguiente al nacimiento de la niña no se hizo nada para comprobar mi situación real y la de mi hija. Del expediente de la DTAIA fue omitido el historial pediátrico y el informe de la pediatra de cabecera que esta había facilitado a la DTAIA después de haber sido informada de la retirada y que comprobaban que la niña había estado perfectamente y que no había estado "desaparecida". Al final —luego de estudio posterior a la retirada— no me devolvieron a mi hija, incluso suspendieron las visitas porque incumplía la normativa de prohibición de la lactancia materna en los encuentros, y por una supuesta actitud de queja y por el menosprecio a los profesionales después de una supuesta amenaza de denuncia contra el centro de acogida. Me etiquetaban como "no colaboradora" por el motivo de que no habían conseguido que el psiquiatra me diagnosticase algún trastorno y que me mandara a alguna terapia, y por las quejas, supuestamente injustificadas."

Sorprendente cómo, en dos años, Molly, onírica como Goethe y consagrada a los ángeles de la guarda de Sara, aprendió con fluidez el castellano, con un minidiccionario que la Real Academia Española habría retirado del mercado.

"7. El equipo técnico del centro de acogida (que estudió el caso) y yo firmamos un Plan de Mejora y Reeducación, de duración de un año, en el que constaba que el siguiente equipo referente lo revisaría cada mes. Este Plan caducó sin ser revisado nunca y, de nuevo, sin cita alguna conmigo a pesar de mi solicitud y de la solicitud de mi abogado. Durante seis meses la niña y yo no teníamos ningún equipo referente y, después de la asignación de un nuevo equipo, este tardó siete meses en ponerse en contacto conmigo."

Durante este tiempo Molly trabajó en las agencias inmobiliarias, a las que se les vendría encima la crisis económica y financiera procedente de los Estados Unidos. Sacó tiempo de debajo de las piedras para estar atenta a todos los movimientos que afectaban a su niña.

"8. En este periodo de vigencia de Plan de Mejora y de Reeducación, en el cual no contactaron con la madre, tomaron una nueva resolución (es obligación evaluar a la madre antes de tomar resolución alguna sobre la niña). Esta resolución fue la de cambio de "acogida en familia ajena" por la "acogida institucional", en febrero del 2003, sin ninguna justificación expresa."

La mujer no dejaba nada al azar. Se elevaba como la víctima más injusta de los oprimidos del Globo, y reclamaba que se revisaran las medidas adoptadas en relación con la separación de su hija, a quien por poco la DTAIA dio en adopción. El último punto de este correo.

"9. Recién se pusieron en contacto con la madre en verano del 2003, a raíz de que acudí al Defensor del Pueblo, y se comprometieron a informarme y a mi abogado (por escrito) de las condiciones que debía cumplir para recuperar a la niña. El Plan de Mejora y de Reeducación había caducado sin revisar, aunque cumplido por mí, sin embargo, hicieron constar que la situación era y es desfavorable, sin nunca haberlo evaluado (excepto seis llamadas al psiquiatra que me había atendido y a quien mandaron una "lista de acusaciones" y le llamaron para "preguntarle cómo estaba yo" aunque yo ya no me visitaba con este psiquiatra desde hace tiempo y sin contestar a las solicitudes de ponerse en contacto conmigo y hacer su trabajo). Esta información por escrito sobre condiciones que cumplir para la recuperación de mi hija no llegó nunca, y cuatro meses después me enteré de que habían decidido dar en adopción a mi hija alegando las mismas alegaciones de siempre (que ya habían sido rebatidas con documentación durante el estudio del equipo técnico del centro)."

La mujer, que había estudiado las pólizas de los resúmenes de la administración, aclaraba con estos tres latigazos, como tres trallazos de los aurigas, su posición y su condena:

"-Nunca se comprobó mi situación real ni me pidieron la opinión sobre cómo estaba.

-Todo se hizo a mis espaldas y sin cumplir los compromisos acordados conmigo ni las promesas dadas.

-Cualquier esfuerzo realizado por mí tendente al bienestar familiar fue considerado por parte de la institución como no favorable, motivo de una situación de riesgo, no colaboración o actitud de amenaza."

Asimismo, Molly entregó a Jesús el informe de propuesta de desamparo. Doce páginas demoledoras, aunque aquí sólo reproducimos las primeras líneas:

"DATOS FAMILIARES MOLLY MALO- NE, FECHA DE NACIMIENTO 3 DE FEBRERO DE 1971, EN KAZAJISTÁN, SOLTERA, PERMISO DE RESIDENCIA X396...

MENOR SARA MALONE, FECHA DE NACIMIENTO XXX 2000, EN EL HOSPI- TAL CLINICO DE LA MATERNIDAD DOMICILIO ACTUAL:

DESCONOCIDO. No ha dado su dirección y ha desaparecido con la niña.

DOMICILIOS ANTERIORES:

NO EXISTE NINGUN DOMICILIO FIJO

La madre de la menor ha ido pasando por dife- rentes domicilios.

Los últimos que nos constan:

-Calle Treball, XXX[5], ENT (posible residencia)

-Calle de Concepción Arenal, XXX[6] A (hasta hace un mes) [¿o el número XXX?]

-Pensión León (semana anterior)

-Pensión Aurora

-Hostal de Sant Andreu (pagado por los Servicios Sociales de Sant Andreu)

En estos momentos dijo que alquilaba una habi- tación, y pendiente de asistir a entrevistas con Servicios Sociales, EAIA, otros recursos, <u>des-</u>

aparece con la menor, sin saber dónde se encuentra. **Desde el XXX del 2001."**

Los servicios sociales de Sant Andreu, cuyo ambulatorio de Sócrates frecuentaba Molly para despejar sus titubeos de madre novata, redactaron, con la asepsia de los conceptos que no saben del sudor de los alumbramientos, un informe negativo, repleto de mayúsculas y negritas para darle mayor empaque.

"ANTECEDENTES Y DERIVACION

La situación de esta madre, desde sus nueve meses de embarazo, es conocida por los servicios sociales de Sant Andreu.

Se precipita el nacimiento de Sara, y desde la MATERNIDAD también se evalúa una situación preocupante, debido a que la madre no tenía ninguna previsión ni material, ni personal en cuanto a cómo hacerse cargo de la niña. La asistencia social de este hospital elabora los informes pertinentes, dirigidos al Servicio de Hospitales de la Direcció Total d'Atenció a la Infància i l'Adolescència (DTAIA), para que se tomen las medidas protectoras respecto a la recién nacida.

La DTAIA cree que no hay que tomar medidas de protección respecto a esta menor, y la situación de la menor se deriva a EAIA para su estudio.

La derivación del caso a EAIA se produce con entrada a nuestro servicio el 21 de noviembre del 2000.

Se realiza una entrevista conjunta, Servicios Sociales y EAIA, con la madre, el 31 de octubre del 2000, en las dependencias de DTAIA, a fin y efecto de comunicar a la madre la preocupación por su situación, y ofrecerle firmar un PLAN DE MEJORA Y DE REEDUCACIÓN, en el que se le exigiría y se le daría apoyo para poder garantizar la correcta atención de su hija. COMPROMISOS que la madre firmó y que se comprometió a llevar a cabo (en estos momentos estaba en una pensión pagada por los servicios sociales.)

Cuando la madre deja de recibir la ayuda económica de la pensión, cuando todavía sigue la vinculación para seguir ayudándola y acompañándole, desaparece, coincidiendo que ha cobrado la baja maternal (en este mes, la mitad).

En estos momentos no hay relación con ningún servicio ni recurso con el que iniciara el contacto.

No contesta al teléfono, sale contestador. Algunas veces hay señal de cobertura pero cuelga el teléfono de golpe.

No acude a las entrevistas de SSAP [Servicios Sociales de Atención Primaria] ni a la entrevista de SSAP-EAIA, para seguir examinando su evolución. No ha dado su dirección."

Efectivamente, a Molly se la tragó la tierra. ¿Cabía pensar que, logrado su objetivo, al parecer, y cobrado el dinero de la baja maternal, se desvinculó de cualquier organismo que pudiera seguirle los talones? No atendía a ruegos; iba por libre.

"HISTORIA FAMILIAR

Malone explica que proviene de Kazajistán. Dice
que va a venir de vacaciones a España y que se
va a quedar a trabajar. Ha estado viviendo cinco
años en Galicia. Dice que hace un año que ha
venido a conocer Barcelona y que se va a quedar.

Manifiesta no tener amigos, no tener relación
con su familia de Kazajistán, aunque tiene un
primo en Normandía que trabaja como mozo de
caballos. Ha estado trabajando en diferentes
sitios de camarera. El último, desde junio, en un
chiringuito de playa en Barcelona, del que ha
sido despedida y ha puesto denuncia.

Manifiesta que su madre se murió de una enfermedad de riñón que ella también ha heredado.
Su hermano también se murió, según ella. Sus
padres se separaron cuando ella tenía dos años.
Su padre los abandonó. Refiere que tiene su
padre en Kazajistán, con quien hace muchos
años que no habla, y unos tíos. No sabe actualmente dónde viven. Ha formado un nuevo
núcleo familiar. No parece existir una conexión
con su país de origen. Es lo que ella explica."

Al parecer, los trabajadores del Centre de Serveis Socials de
Sant Andreu elaboraron este informe, plagado de erratas, dis-
cordancias y frases sin ilación aparente, sobre la información
que de Molly habían podido aglutinar. Por lo que se desprende, apenas la creían.

"SITUACION Y FACTORES DE RIESGO

La situación de riesgo se evalúa desde el momento en el que se conoce en la zona de Sant Andreu

su existencia. Cuando SSAP empieza a tener entrevistas con ella, ya se detectan indicaciones preocupantes al respecto del nacimiento de Sara. **Situación detectada de riesgo <u>por diferentes servicios</u>** que han estado en contacto con la madre, y que la definen como una persona difícil, imposible de establecer contacto, muy utilitarista, que no se vincula. Definida como persona conflictiva.

Actitud exigente en cuanto a reclamar que quiere una pensión, una vivienda. Manifiesta que tiene derecho, pero ella no ofrece nada a cambio. Actitud como si los problemas fueran de los otros.

Posible trastorno que no nos consta que esté diagnosticado. Parece que sufre <u>algún trastorno de la personalidad.</u>

Aislamiento social. Manifiesta estar sola. <u>No tiene amigos, no tiene relaciones familiares.</u> <u>No establece relaciones.</u> Es difícil de entender que después de cinco años en Galicia no tenga ninguna relación de amistad.

El padre de Sara es un chico italiano quien no ha asumido su responsabilidad. Dice que no tiene relación con él. No sabe que ha nacido su hija. Malone habla de amigas, de chicas que ha conocido hace cuatro días en la pensión."

Los rasgos que definen a la madre cuadraban con la impresión que de ella se llevaron los dos reporteros, Jesús y Gustavo. Hoy se encontraba disponible, mañana también, pero pasado no había manera de localizarla, ni al otro ni al otro. Como los fajos de billetes a los que se pierde de vista en los paraísos fiscales. Nada asustadiza, envalentonada, confiada a tientas. Pero escarmentada de cualquier ramificación que procediera de los órganos del Estado, los cuales, al parecer, le daban alergia. Igualmente, a juicio de los periodistas, las suposiciones del tipo "esto podría pasar", que redactaron los profesionales, estaban de más, así como los "trapicheos" de Molly con las bandas mafiosas salidas de la imaginación.

"No mantiene ninguna relación estable en el tiempo, **no se vincula.**

Evaluamos su historia. Demuestra que <u>los vínculos familiares tampoco existen</u> y que puede realizar rupturas relacionales importantes. Esto podría también pasar con su hija.

No dispone en estos momentos de <u>recursos económicos ni de vivienda</u>, por la cual cosa recorre diferentes servicios de asistencia social, demandando ayudas económicas y, sobre todo, vivienda.

Ha acudido a Servicios Sociales de L'Hospitalet, Servicios Sociales de diferentes ambulatorios, a OPAS [Oficina Permanent d'Atenció Social]. Finalmente, se la deriva a servicios sociales de Sant Andreu, a raíz de un empadronamiento, <u>provisional,</u> en Sant Andreu.

Toda la información de que disponemos, y las sospechas de las informaciones que oculta, hacen pensar que puede estar relacionada con **<u>actividades muy marginales o mafiosas, quizá tráfico de estupefacientes.</u>**

Uno de los factores de riesgo, dado que no ha manifestado ningún cambio de vida al nacer la niña, es que esté realizando las mismas actividades, o esté en relación con la gente marginal y peligrosa, y la niña también esté implicada. Que pueda utilizar a la niña como intercambio. O que no sea consciente de las implicaciones que pueda tener con la recién nacida.

OCULTA MUCHA INFORMACION, NO ES CLARA Y MANIFIESTA NO QUERER QUE LA CONTROLEN."

En otros mails enviados a Jesús, Molly acompañaba textos de paja, que si no pretendían ser ejercicios literarios, sí que le habrían servido como terapia de autoayuda:

"La mejor defensa es la VERDAD. Una verdad no admite contradicciones.

En el estudio realizado en el 2002 (Síntesis Evaluativa) se rebaten los factores de riesgo del Informe-Propuesta de noviembre del 2000, de Sant Andreu, pero se mantiene la medida de tutela institucional que originó este informe de Sant Andreu. Se estudia y se admite en el 2002 que en el 2000, la fecha de este Informe-Propuesta, no constaban las ahí alegadas varias visitas a Urgencias; que la niña estaba atendida por la pediatra y que, por lo tanto, no estaba desaparecida, pues se había hecho seguimiento del embarazo; yo tenía ingresos económicos, que habían sido suficientes incluso durante el tiempo que estaba en casa al cuidado de mi hija; tenía vivienda, etc. El factor de riesgo expuesto en el

Informe-Propuesta, que originó la situación del desamparo, se había manifestado en las preocupaciones de la asistenta social: **"¿Cómo se relacionará con su hija? ¿Con qué sentimientos?"**. **Y que "era de extremo riesgo para la menor", que "los vínculos familiares no existían" porque mi madre y mi hermano habían fallecido y que el resto de la familia residía en mi país y, por lo tanto, no tenía "capacidad" de vincularme con nadie."**

Molly explotaba, no daba tregua, arremetía contra los "alguaciles" de la Direcció Total, y se expresaba de una manera que podría haber ruborizado en las trincheras del Somme al mismísimo Edmund Blunden, un poeta que con los pies hundidos en el barro y la bayoneta calada bajo la luna intentaba dar sentido a lo que le sucedía.

"¿Quién es la DTAIA para medir la cantidad de afecto y la fortaleza de los vínculos de una madre con su hija como insuficiente o como excesiva? ¿Puede que las previsiones de falta de vinculación, que el tiempo ha mostrado que fueron una excesiva vinculación, demuestren la poca validez de estos supuestos tópicos de "riesgo" y de estudio, que han empleado estas profesionales? Respecto a la vivienda, fue un piso de 40 m^2 que compartía con una amiga. Tenía a mi disposición una habitación doble y una individual, donde guardábamos juguetes, porque mi hija los tenía para llenar una habitación entera. La referida "precariedad" de mi situación es una opinión descabezada de la gente que nunca ha venido a mi casa. Por lo tanto es sólo una opinión sin validez, porque los profesionales deben comprobar las condiciones de vivienda antes de hacer alegaciones sobre la situación de la misma."

Seguidamente, Molly se recreaba en las dificultades con las que se había topado, y reproducía los diálogos que mantuvo, grabados a fuego en su cerebro, y tomaba buena nota de los pasos dados, con la diligencia del contraespionaje:

"SOBRE LA RUINA DE LA LACTANCIA

Cuando me quitaron a mi hija de 12 meses por el supuesto desamparo, me dijeron que no podía seguir con la lactancia ni llevarle la leche materna sin darme ninguna explicación del porqué.

En la primera visita con mi hija ella estaba mirando un punto, absolutamente inmóvil, ni siquiera se le movían las pupilas, temblando y apretando la boca con fuerza. Cuando yo le tocaba la cara cerca de la boca, ella apretaba la boca con más fuerza y decisión como si nunca la fuera a volver a abrir voluntariamente, y le salieron más lágrimas en silencio. Volvió a hacer sonidos y a moverse después de diez minutos de hacerle todo tipo de caricias. Al final, giró la cabeza para agarrarme el pecho y, al ver esto, la responsable de la sala de visitas dijo que la visita se había terminado porque la niña "estaba cansada". Cuando la llevaron, intentó gritar, pero había perdido la voz. Entonces supe que ellos la habían alimentado utilizando la fuerza, porque ella había sido caprichosa comiendo y lo hacía muy lentamente y, sobre todo, había preferido el pecho. Más tarde vi que la dejaban siempre sola,

sola detrás de la puerta cerrada cuando llegué a las visitas, sola en el asiento trasero de la furgoneta, y que tenía miedo a algunos cuidadores/as y a una educadora, y luego conocí a gente que habló, quienes, según sus hijos que ya sabían hablar, decían que también el castigo físico era habitual en los centros de acogida donde había estado ella, y que les daban palizas sin venir a cuento.

Cuando explicaba a la educadora, en la siguiente entrevista, que mi hija sólo se tranquilizaba en mis brazos y que pedía pecho y que empezaría a llorar si se lo negaba, me dijeron:

'Esto es impresión tuya' y 'es normal que los niños lloren'".

En otro correo titulado "revisión del caso", Molly apedreaba la Administración con hechos, informes y volantes médicos, y cuidaba al milímetro la exposición, que incluía los apartados siguientes: *informe del parto y del postparto; características como madre: informe de los profesionales del centro de acogida que estudian el caso; Sara Malone en los institutos; informe del equipo técnico del centro sobre la madre en las visitas y la prohibición de seguir visitando a la niña; informe de las visitas,* e *informes psicotécnicos de los juzgados,* con interpolaciones que ella introduce a medida que lee. Un extracto:

"Se interfieren pocas capacidades maternales de aceptar una resolución judicial diferente a sus expectativas, verbalizando incluso la posibilidad de emprender actuaciones con los medios de comunicación si hace falta." *(Sería bueno que sólo la humanidad, el amor y el ejemplo de los animales que no crean institutos, sino que dan prueba de generosidad y de acogida de ternura -como lo muestra una hembra mamífera que da de mamar a otro cachorro de otra especie que lo necesite- nos mueva, sin que para ello se tenga que recurrir a prensa, bombo y platillos…) [...]*

Así que se valora imprescindible la colaboración materna con los profesionales para cualquier contacto con su hija y que se mantenga cerca del centro de salud mental de la zona. *(Con el psiquiatra que expone: "La paciente se encuentra deprimida como consecuencia lógica del trauma al que está siendo sometida tanto ella como su hija, ya que en las entrevistas que mantuve con ella no he encontrado nada que justifique la suposición de que pudiera haber habido la intención de maltratar a la niña".)."*

Otro mail, también para Jesús, introducía las consideraciones propias de los autos judiciales:

"Quiero hacer constar el **"Protocolo de observación de visitas y confirmación de resultados"** (con fechas correspondientes) emitido por la DTAIA y omitido por la misma en el Expediente Judicial de desamparo presentado por la DTAIA"

(En referencia a la Demanda de Oposición a la Resolución de Desamparo tomada por la DTAIA el 10/11/2001, la Jueza expone en su sentencia: "Es importante el hecho de que las visitas hayan sido suspendidas…" Quiero hacer constar que dichas visitas ocurrieron después de la Resolución de Desamparo.)"

Se trataba de un repaso pormenorizado de los aconteci-mientos, desde el punto de vista de las trabajadoras sociales, que se inicia el 24 de noviembre del 2001:

> "la madre y la niña, **alegres y afectuosas**", "la relación es **afectuosa**, acercamiento **normal**", "no transgrede normas ni crea problemas ni es un incordio"

...y termina el 12 de septiembre del 2003:

> "la madre, **afectuosa y normal;** en la despedida, **excesivamente afectuosa**", pero, <u>transgrede alguna norma y crea algún problema y algún incordio</u>: <u>**la niña y la madre han entrado y salido de la sala, paseando por los pasillos**</u>"

En otro correo, una carta de apoyo "en catalán", plagada de faltas de ortografía y sembrada del rencor de los hutus (¿la escribió Molly?):

> "Carta de Recolçament per a la Infància a Catalunya
>
> La DTAIA continua retirant sense previa ordre judicial la tutela als pares. Algunes dades: Ciutat Vella: 111.290 habitants (72,1% retirats); Les Corts-Sarrià-Sant Gervasi: 223.049 habitants (1,6% retirats). Tenint en compte les característi-ques dels barris, les xifres parlen per si soles (Ciutat Vella: barri baix; Les Corts-Sarrià-Sant Gervasi: barri mig-alt). De les causes per a reti-rar la tutela, només un 7,8% correspon a mal-tracte físic (o sospites) i un 3,7% a abusos sexuals. Totes les altres causes es justifiquen si es donen uns possibles riscos, que automàticament són suficients per a la retirada de tutela. Alguns

exemples: la mare sent repulsa cap a les deposi-
cions del nadó, conductes molt infantils per a
l´edat del menor, autosuficiència del nen, problemes econòmics, inestabilitat laboral, pressa per
rebre atenció médica per accidents mínims,
familia monoparental, incapacitat física, psíquica
o sensorial del nen, contexte d'immigració, etc.
S´actua per suposicions i prejudicis, sense que
mai hagi hagut realment maltracte ni indicis de
que fora a haver-ne.

Hi ha més indicadors que davant un cas pràctic
es maximitzen. Per exemple: si les assistentes
socials visiten el nen a casa a l´hora de menjar i
lògicament aquest s'ha embrutat, l´indicador de
risc és "signe d´higiene deficient" però fora de
CONTEXT (hora del menjar). La DTAIA justi-
ficarà dient que no es retiren nens per un sols
indicador, sinó per un conjunt de coses.

La madre, que en momentos se enternecía como una napo-
litana, se vacunaba contra cualquier mensaje que se apartara
de su concepción del mundo. Para ella, la DTAIA era culpa-
ble en todos los sentidos.

"A la plaça que ocupa un nen retirat en un orfa-
nat es gasten a partir de 100 euros diaris, que per
si sols solucionarien els problemes de totes les
famílies amb fills. Els pares de classe baixa no
són maltractadors, negligents, abussadors, etc.;
són persones amb una série de dificultats, princi-
palment econòmiques, i que acudeixen als
Serveis Socials.

Molts dels nens recluits en els centres d'interna-
ment acaben patint seriosos problemes psiquià-
trics i no perquè arrastrin cap trauma per tema
familiar; n'hi ha prou amb treure a la llum la infi-
nitat de denúncies de tot tipus que recauen cada
cop més sobre aquests centres de reclusió."

En el séptimo correo, un enlace con la legislación al respecto en otros países de la Unión Europea y de más allá.
SosQuebec.com es una página web canadiense con este fron-
tispicio: "El gulag de los niños". Dentro del sitio hay otro
enlace a la organización en defensa de los derechos humanos
Human Rights Watch. Las pestañas son verdaderos gritos,
auxilios mironianos: "juicios secretos e inquisiciones"; "el
legado estatal de abusos de menores"; "corrupción judicial";
"el negocio multimillonario de los niños"; "represalias e
impunidad", y un apartado sobre "el rapto de niños aboríge-
nes". Se incluyen gráficos de barras sobre el aumento de los
suicidios de menores.

Pertrechada de los códigos civiles indescifrables para cual-
quiera que aún crea que el latín es una lengua muerta, y dispuesta a enfrentarse a duelo con el demonio, Molly descargó
su furia contra el sistema. Buscó los atajos cuando las grietas
se abrían, buscó los resquicios por los que colar su testimonio
y se fijó en los puntos débiles, con la potencia y la persistencia de Lara Croft. En un correo más, el recurso de apelación,
de noviembre del 2001.

"RECURSO DE APELACIÓN
Queremos inicialmente estudiar y examinar este
primer punto, que sirve en la resolución de base
para declarar el desamparo de la menor SARA
MALONE, a fin de que resulte más claro y com-

prensible su combate, principiando que dicha declaración, al margen de ser falsa, denota un grado de perversidad importante que se aproxima más a los antiguos informes de los comisarios políticos que a un informe profesional de un Departamento de atención a los menores."

Quince líneas sin un punto en las que se explica, de forma enrevesada, el motivo por el que se cree que se retiró la custodia de Sara. El texto, escrito bajo la supervisión de Molly:

"Estos mal llamados profesionales de las necesidades y atenciones sociales no tienen ni idea de la materia que tratan, pues olvidan que las normas que regulan esta materia indican que el deber de la Administración es procurar los medios necesarios para evitar la separación de los hijos de sus padres, cuando los motivos de carencias se deban a causas económicas o a circunstancias adversas de la vida, distintas de las propias acciones u omisiones causantes de riesgo para la integridad personal, emocional e integral del menor, cosa que no ocurre en el presente caso, a pesar de los informes amañados y manipulados interesadamente por la Administración, y decimos esto porque Benestar Social [actualmente Reacció Social] no tenía base ni fundamento para afirmar que carece de domicilio fijo, pues consta documento consistente en certificado de vida laboral que tiene fecha de XXX del 2000 en el que consta que está domiciliada en calle Concepción Arenal, número XXX[7], escalera izquierda, piso A, puerta tercera."

En estas 15 líneas que se acaban de leer, sin un solo punto, se hacen graves acusaciones contra la DTAIA. Los "informes amañados y manipulados interesadamente" dañan el prestigio del propio aparato del Estado.

"Tampoco que no dispone en estos momentos (10/11/2001) de medios económicos, pues resulta que en la vida laboral a la que hemos aludido consta que está dada de alta en la Seguridad Social con fecha de 27/11/1996, y a fecha de 10/11/2001 (fecha de la declaración de desamparo de la menor Sara) resulta que, aunque consta de baja en su vida laboral en la TGSS en fecha de 30/09/2000 en la empresa Lama, S.L., se siguió procedimiento jurisdiccional por despido improcedente ante el Juzgado de lo Social número 17 de Barcelona, y en el procedimiento 739/2000 en el que recayó acta de conciliación que tiene fecha de 9/01/2001, por el que la empresa demandada reconoce el despido como improcedente y desde el 30/09/2000. Asimismo, ante el Juzgado de lo Social número 9 de Barcelona, y en el procedimiento de reclamación, en fecha de 2/11/2001 se alcanzó acuerdo con la empresa demandada Lama, S.L. por el que se abonaba a la hoy recurrente la suma de 1.300 euros en concepto de deuda salarial, reconociendo que mi mandante inició la relación laboral con dicha empresa en fecha de 1/04/2000. Que asimismo, según la misma vida laboral con fecha de 14/12/2001 inició relación laboral con la empresa Lonosol Supermercados, S.L., y así hasta el 24/11/2002, siendo que actualmente percibe prestaciones de la Seguridad Social por incapacidad temporal."

Un cacao de fechas que pretenden contextualizar la vida de Molly en el momento en el que le retiran a su hija, y un texto difícil de entender sin atesorar el léxico romano o sin ser la ensayista Natalia Ginzburg.

El alegato de la resolución de acogida simple se lo hizo llegar a Jesús con indicaciones, interpelaciones y acotaciones que la exculpaban, la exoneraban y la presentaban como la víctima propiciatoria de las conspiraciones del poder. A partir del sábado 7 de febrero del 2004, silencio. Sin rastro de Molly, como si se hubiera vaporizado.

Jesús intentó ponerse en contacto con su abogado hasta la fecha, Ernest Duran. Quizá estuviera molesto ese día por algo. Suponía el periodista que le llamó en el peor momento de su tortuoso día laboral, fiel a su estilo inoportuno de aparecer a destiempo.

—Podríamos quedar un día de la semana que viene –dijo Jesús.
—Martes –contestó Ernest.
—¿A qué hora le iría bien?
—Entre 10 y 12 de la noche.
—¿No podría ser antes?
—No.
—¿Y no le va bien otro día?
—No.

Con este resultado infructuoso, y viendo que las cosas se enredaban de mala manera, Jesús se propuso hablar con la amiga íntima de Molly, Laura, y lo único que consiguió de ella es que le enviara sólo unas líneas, más acordes con los *thrillers* cinematográficos de Mankiewicz y con las novelas negras de Cristina Fallarás. Le chocó el nuevo concepto de "traficantes de niños".

"Hola, Jesús: Soy Laura, te envío una dirección de Benestar Social [Reacció Social]. A partir de la página 22 o así puedes encontrar un poco los índices de riesgo en que se apoya esta gente para justificar la retirada de tutelas, sin embargo, ten en cuenta que en base a estos criterios, ellos pueden acusar a cualquier padre, sin por ejemplo detallar el hecho concreto o probado de que la falta acusatoria es cierta y que no ha sido magnificada, por lo que cualquier retirada queda a merced de la valoración subjetiva o capacidad imaginativa del examinador/a, que casi siempre suele ser una pareja de amargadas que prejuzgan de antemano a las personas por el simple hecho de no ajustarse los progenitores al modelo predeterminado. Fíjate también que muchos de los indicadores tienen que ver con una situación de vulnerabilidad social, económica, de salud, etc., factores a mi entender del todo contradictorios pues se supone que los servicios sociales están para prestar apoyo y ayuda al ciudadano. http://www.interxarxes.net/pdfs/2002/infanciarisc12.pdf Un saludo."

La dirección web abre un documento en formato pdf de 43 páginas, con el protocolo técnico de actuación en los casos de maltratos a niños y adolescentes. Elaborado por un equipo de psicólogos por encargo del Ajuntament de Barcelona, el texto, publicado en el 2002, establece las tipologías de maltrato y define el proceso metodológico para afrontar los casos.

Los "factores de riesgo" para solicitar la tutela del niño: "cambios bruscos en los ingresos"; "ingresos irregulares y trabajo precario"; "insuficiencia de recursos materiales para cubrir los gastos básicos"; "trabajo temporal esporádico"; "subsidio de paro"; "pérdida de trabajo"; "exceso de horas laborales"...

La incógnita de su ausencia se despejó cuando una mañana invernal de abril, con un frío incontenible de noviembre, Molly le escribió, tras varios intentos de localizarla que habían quedado empantanados en el registro del buzón de mail.

"¡Hola! ¿Qué tal?

Sigo muy interesada en lo que hemos hablado. Actualmente me puede contactar al 98 418 3... Haré declaraciones cuando lo crea conveniente y, posiblemente, lo haga dentro de dos semanas, porque tengo muchas cosas que explicar... Contactaré con Uds. por si le sigue interesando el tema. Perdí la confianza con la asociación Singular-12 ya que tratan información sin permiso *de los que he implicado con ellos,* de manera superficial y tergiversada según sus intereses y su trato es persecutoria y revelar algunos aspectos podía interferir en conseguir pruebas sin las que las declaraciones no tendrían base. No le diga nada a su compañero periodista, ya que me costaría explicarle el porqué de mi silencio y a todas las personas conocidas por el sr. Franco tanto como por gente de Singular-12.

Gracias por todo.

Un saludo.

Molly"

[Cursivas, de los autores.]

Decidió llamarla al teléfono que le indicaba, contento al menos de haber reanudado la comunicación, interrumpida aún no se sabe bien por qué. Su intención era la natural, interesarse por su estado y por ese "bombazo mediático" que se preparaba entre manos.

—¿Sí, dígame?

—Hola, pregunto por Molly —dijo Jesús al otro lado de la línea.

—Un momentito. ¡Silvia, al teléfono! —Se oye de fondo la voz de una niña. Vuelve el hombre que le ha cogido el teléfono—. Ahora mismo se pone.

Una niña se pone al aparato y le chilla sin venir a cuento:

—¡Me importa un pepino, me importas un carajo!

Molly apartó a la niña y agarró el auricular y, tras presentarse y que le reconociera, le justificó a su manera sus reparos por mantener el asunto en vilo.

—Bueno, ahora estoy en Murcia, pero pasaré esta semana por Barcelona. Espero poder venir la semana que viene. Estoy recuperándome. La niña también está recuperándose. Claro, salen cosas que ellos dicen [la DTAIA]. Que ella ya es una niña problemática se da uno cuenta en seguida. Ha sido seguramente por la violencia que ha vivido. En el juicio testificaron que estaba meses que no lloraba ni reía, que se le caían las lágrimas y que gemía. Estoy pensando en su recuperación. Que luego no me vayan a echar la culpa de que ella está así o asá...

CAPÍTULO 4. La vuelta de hierro de Els Tarongers

La única persona con la que Molly permaneció en contacto al distanciarse de los periodistas y del resto de personas que en algún momento la apoyaron antes del juicio fue Petra Fonts, miembro del Centre de la Infància i l'Adolescència de Catalunya (CIAC) y psicóloga infantil, persona a quien los periodistas aún no habían conocido en persona. Si había alguien que podía penetrar en las entrañas de los servicios sociales y comprobar lo bueno y lo malo en su interior, era Petra. Los periodistas acordaron que Gustavo se haría cargo de conseguir un encuentro personal, mientras el otro intentaba amarrar los últimos cabos sueltos del caso de la mujer kazaka.

El CIAC es un organismo creado por decreto autonómico el 21 de noviembre del 1995. Su composición, más cercana a la de un gabinete de ministros que a la de un equipo de profesionales dedicados a la cura de los menores. Entre otros, integrado por los titulares de turno del Departament de Reacció Social (presidencia del CIAC), la Secretaria de la Família (vicepresidencia) y una persona en representación de los departamentos de Governació i Relacions Institucionals, Ensenyament, Cultura, Sanitat i Seguretat Social, Treball, Justícia, Reacció Social, Medi Ambient y Interior. Todos ellos designados por el responsable de dichos departamentos. A toda esta burocracia policéfala se suma un delegado de la Secretaria General de la Joventut, otro del Institut Català de la Dona, del Consell del Audiovisual de Catalunya y uno más del Institut Català d'Assistència i Serveis Socials. Para completar la inusual amalgama, también se encuentran las organizaciones sindicales más representativas y dos miembros de los gremios empresariales más importantes. Además del Col·legi de Diplomats en Treball Social i Assistents Socials de Catalunya, uno del Col·legi d´Educadores i Educadors Socials de Catalunya. Completan la burocrática lista ocho personas de instituciones dedicadas a la infancia y la adolescencia y cuatro de "reconocido prestigio" en la materia. En total son 33 personas que conforman un "órgano colegiado de participación que actúa como instrumento específico para el desarrollo, el seguimiento, el debate, el estudio y la divulgación de políticas protectoras de la infancia y la adolescencia, para la mejora de la calidad de vida de este colectivo"[8].

Petra Fonts es una profesional tarraconense especializada en la psicología infantil y juvenil. Autora de los libros *Soñar a pierna suelta* y *Una infancia sin traumas*. Ambos trabajos son conocidos por su vocación hacia el desarrollo del apego afectivo entre hijos y padres. Además trabaja en el programa de salud maternoinfantil de la Organización Mundial de la Salud, en su ciudad natal. Sobre el sueño de los niños y su tratamiento, dijo en una entrevista en el 2001[9]:

> "Últimamente hay muchos padres que utilizan métodos para adiestrar a los niños dejándolos llorar indiscriminadamente. Se usan formas educativas que si las utilizáramos en personas mayores serían denunciables. Sólo se utilizan en animales y en niños. El fin no justifica los medios. El niño es una persona y hay cosas que no deberían ser utilizadas en ningún niño, aunque no provocara efectos secundarios."

Localizar a Petra Fonts no fue difícil. Jesús tenía su número telefónico entre una lista de fuentes y se lo pasó a Gustavo. La primera vez que la llamó, en abril del 2004, lo primero que ésta le dijo es que no hablaría sobre la historia de Molly. Gustavo empezaba a acostumbrarse al hermetismo de los que estuvieron al tanto del caso, como si resultara extremadamente incómodo comentarlo. Esto le inquietaba porque no terminaba de entenderlo del todo. Se trataba de un juicio con sentencia en segunda instancia, que había sido publicado dos meses antes y que, en apariencia, no había tenido importantes incidencias en la opinión pública. Es decir, estaba ya resuelto. A pesar de esto, extenderse sobre ello era como tocar una fibra sensible de la Administración, una herida abierta por el bisturí judicial, fruto de la denuncia de una madre soltera y sin recursos. Algo realmente inusual, como lo reconoció Tamara Guevara, del Colectivo Acogida y Fraternidad, una entidad creada por personas como Molly, quienes se sienten afectados por prácticas de los servicios sociales. Así que cuando Petra contestó la llamada, Gustavo se identificó, le explicó cómo había dado con ella y los reportajes que había realizado para *Público* sobre el proceso de la kazaka.

—Entonces no habrá ningún problema —dijo ella.

Petra recibía pacientes en su consulta de Tarragona y Barcelona, principalmente en la primera. Por esto aclaró muy cordialmente que no sería fácil quedar en la capital catalana, pero en cuanto tuviera un asunto en esta ciudad, buscaría el momento oportuno. El periodista quería algo más, concertar una reunión para poder explicarle la investigación que estaba llevando a cabo. Para esto, añadió, necesitaba verla personalmente. Era un lunes y tenían por delante el festivo de la Semana Santa, que comenzaba el jueves y terminaba el día de La Mona. Difícil fijar una fecha exacta para la cita. Gustavo no quería demostrar un interés exagerado, pero decidió arriesgarse. Se ofreció a viajar hasta Tarragona si de esa manera conseguían charlar sobre los centros de menores. Rosa no se opuso.

Pero no le concedió un día preciso. Entonces acordaron que éste le enviaría un correo electrónico para explicarle los argumentos que deseaba tratar. Algo que dijo Petra Fonts al final de la charla telefónica, que no duró más de tres minutos, le sorprendió gratamente:

—Es cierto que algunas cosas no se están haciendo bien, ellos lo saben, por eso la DTAIA está aplicando medidas para mejorar el trabajo de los centros...

¿Qué cosas no se estaban haciendo bien? ¿Cuáles eran esas medidas? Al colgar el teléfono le pareció muy interesante enterarse de que alguien cercano y con influencia en los servicios sociales le hubiera dejado caer: "Algunas cosas no se están haciendo bien". Más importante aún, pensó Gustavo, considerando que aún no se habían visto. Pero esto no quería decir que fuera fácil que ella compartiera lo que sabía sobre los centros. Ni él mismo sabía con precisión el tipo de información que podría tratar con la psicóloga. Inmediatamente después se reprochó no haber preparado una justificación más sólida. El correo electrónico enviado el 13 de abril del 2004 decía lo siguiente:

"Hola, Petra:

Soy Gustavo Franco. Hablamos por teléfono acerca de los centros de menores. Estos son los artículos (PDF's adjuntos) que se publicaron en el diario *Público* sobre el caso de Molly Malone. Como me expliqué antes, lo que me interesa es comentar sobre los centros en general y sobre otras familias que pudieran tener algún tipo de situación similar. Si quedamos en Barcelona mucho mejor, pero si la disponibilidad prolonga más de un par de semanas la cuestión, podría acercarme hasta Tarragona.

Saludos cordiales,

Gustavo Franco"

Lo que se había propuesto el reportero era establecer una relación personal, aún desconociendo el posicionamiento de ella ante el trabajo que se realizaba en los centros de menores. Una semana después, el 20 de abril, le reenvió el mismo mensaje pero añadiendo la pregunta "¿Recibiste este mensaje?". La respuesta vino un día después:

"Como ves he recibido tu mensaje. Lo que pasa es que no sé cómo puedo ayudarte yo porque no sé mucho de estos temas: me metí en el de Molly porque me pareció muy grave, pero no porque tenga experiencia en este sentido. A parte, Molly no quiere que se hable más del asunto y, al poco de devolverle a la niña, nos envió un mail pidiendo que no se hablara más del caso. Ella ha intentado desaparecer para estar con su hija y recuperar el tiempo perdido. Si me das cuatro ideas de en qué piensas que yo puedo ayudarte, te contesto. De todas formas estos días son un poco complicados para mi ya que, como autora, desde Sant Jordi (23 de abril) hasta la feria del libro de Madrid (28, 29, 30 de mayo) estoy muy ocupada con conferencias y presentaciones.

Un abrazo.

Petra"

Tendría que esperar más de un mes para ver a Petra Fonts. Entretanto contaba con otra fuente, que apareció en su camino fruto de un error. En una ocasión, Josefa Vázquez, de Singular-12, le había dado el número de teléfono y el mail de una tal Petra Piera. Entre sus apuntes la confundió con la otra Petra [Fonts]. Así que el primer correo destinado a la psicóloga, en realidad llegó al buzón de una madre que tenía a sus tres hijos en un centro de menores. Esto ocurrió el 2 de abril del 2004, y un par de días después le telefoneó. Con un verbo incontenible que apenas le dejaba poner una palabra en la conversación, Piera explicó que, efectivamente, había recibido el mensaje y que estaba dispuesta a acudir a la llamada del periodista. Sólo después mencionó lo del error. "Claro, estoy aprovechándome de ello, pero espero que no te moleste", le confesó ella, y entonces le explicó quién era. Gustavo no tardó en identificarla, pues ya le habían comentado en Singular-12 que era una madre más, embarcada en la lucha sin cuartel por recuperar a sus hijos. El encuentro se produjo esa misma semana en la estación de Fabra i Puig.

La mujer tenía 49 años y un aspecto menudo. De cierta fragilidad, rasgo compartido con Molly. Con una impresionante capacidad para no detenerse en medio de la charla, pues ella misma le advirtió que padecía un Trastorno por Déficit de Atención e Hiperactividad. De trato amable y muy dispuesta a colaborar en la investigación, convencida de que había que hacerlo para que otros padres no pasaran por su experiencia. La entrevista, el mediodía del 27 de abril del 2004, empezó con un relato cronológico de su historia. De entrada, al periodista le sorprendió la sinceridad para contarle detalles difíciles de su vida y de los cuales no estaba muy orgullosa. Desde su estancia en Menorca con una antigua pareja, "un impresentable" según ella misma calificó, de quien sufrió maltratos y quien no era precisamente un dulce bizcocho para la convivencia con ella y sus hijos. De su salida del país para evitar la separación con éstos y el retorno resignado, para finalmente ver cómo los internaban en un centro, en 1999. "Puedo entenderlos", era una de sus frases recurrentes, que a Gustavo le costaba asimilar. Sin duda fue una entrevista difícil de digerir. Un testimonio cuajado por el tiempo, nada que se pueda exhibir con altanería. Ella también estaba convencida de algunas injusticias cometidas en su contra. Algo difícil de comprobar, pues su denuncia se archivó sin pena ni gloria. Así que luego de unos veinte minutos de grabación, un torrente de palabras que apenas podía interrumpirse por alguna pregunta rezagada, Petra empezó a pedir que no se citaran ciertos nombres y lugares.

Muchas veces Gustavo se preguntaba para qué la gente le contaba cosas de su vida que en seguida rechazaban ser publicadas. Tenía la duda de si lo hacían por sentirse liberadas de un peso emocional o, por otra parte, para brindarle las pistas necesarias para orientarse en los nebulosos problemas de las personas con el sistema. Casi siempre prefirió la segunda explicación, pero, en el caso de Petra Piera, se dio cuenta de que había un poco de todo. Como la primera ya la había cumplido eficientemente durante 45 minutos, sin levantarse de la mesa en la cafetería Ars de la estación de Fabra i Puig para tomar ni un café, decidió pedir a la mujer su recompensa. El periodista quería el contacto de las personas que había mencionado en su relato y que, según ella, le podrían dar cuenta de las cuestionables prácticas de los servicios sociales. La frustrante experiencia del exdirector de un centro y de un extrabajador. Pero había uno más valioso y no tan sencillo de sonsacar: el director de una fundación que gestionaba tres casas para menores en Reus. Este último, siempre según Petra Piera, había sido su pareja en los primeros años del retorno español a la democracia. Paradójicamente, muchos años antes de ver a sus tres hijos en un centro, su antiguo compañero comenzó a gestionar una casa donde recibía a menores por encargo de la Administración.

—Pronto compramos una casa y un coche, y vivíamos bien. Ahora él tiene tres viviendas donde, naturalmente, acoge a los menores, por los que cobra una cantidad de dinero por día. Te puedo asegurar que él nunca estudió en la Universidad ni tiene preparación para ello, pero como el Estado no tenía la estructura adecuada, tuvo que delegar estas responsabilidades tan rentables —explicó Petra.

Sensiblemente excitado por una información tan prometedora, el periodista se marchó con más expectativa que información pura y dura. También ella se fue, pues le siguió hasta la entrada misma del andén de trenes mientras hablaba de sus hijos y mostraba algunas de sus pinturas, tomadas con la cámara de fotos de su teléfono. Era evidente que estaba inspirada en uno de sus hijos y así se lo dijo Gustavo. En realidad, un cuadro hermoso. Sobre un fondo azul oscuro, pudo descubrir en el centro a una niña -o a un niño- sujetando un libro entre sus manos y rodeada de un haz de luz misteriosa que en algo le recordaba las pinturas de Rembrandt. Sintió simpatía por la artista Petra y esto le incomodó, porque lo último que deseaba era dejarse arrastrar en su trabajo por este sentimiento. Sin poder evitarlo, recordó el pasaje de Ryszard Kapuscinsky en *Viajes con Heródoto*, cuando relata su impresión de la visita a las ruinas de Persépolis:

"Por su vida desgraciada. Su sufrimiento. Y entonces surge la siguiente pregunta: ¿podrían existir tamañas maravillas sin ese sufrimiento? ¿Sin el látigo del vigilante? ¿Sin ese miedo que anida en el esclavo? ¿Sin esa soberbia que anida en el soberano? En una palabra, ¿no habrá sido el gran arte del pasado obra de lo que el hombre tiene de malo y negativo? Y al mismo tiempo, ¿no lo habrá creado su convicción de que lo negativo y lo débil que lleva dentro puede ser vencido sólo por lo bello, sólo por el esfuerzo y la voluntad de crearlo? ¿Y de que lo único que no cambia nunca es la forma de la belleza? ¿Y de la necesidad de ella que vive en nosotros?"

—La hiperactividad bien aprovechada es capaz de cosas increíbles -se apresuró a explicar Petra Piera. Con el móvil todavía en la mano, pasó a la siguiente imagen. Eran tres chicos sentados en un vagón de tren, con rasgos físicos muy parecidos. Tres hermanos de 15, 12 y 9 años, que habían pasado el último lustro en centros de menores.

—El problema, en el fondo -continuó ella antes de que Gustavo enfilara el andén-, es que no te dan una oportunidad para el cambio. Tengo un trabajo fijo desde hace dos años y vivo en la segunda residencia de mi padre. Pero ellos no ven esto, sólo los errores del pasado.

Para llegar a casa Gustavo tomó un tren de cercanías que atraviesa Barcelona. Petra, en cambio, abordó una línea de metro, cuyo acceso se encuentra en el otro extremo de la estación. Ella se fue con la sensación de haber hecho lo correcto, de haber contado su historia para que ésta no se repita en otras personas. Como relámpagos de escepticismo pasó por su mente la desconfianza, el temor de que el reportero manipulara a su antojo la información y de que la perjudicara. Pero también algo mucho peor: el abatimiento del que ya había sido víctima en el pasado. Lo recordaba muy bien, como el viejo enemigo de las guerras perdidas, que se admira y se odia a la vez. El abatimiento que pudo vencerla cuando perdió el juicio y decidió no recurrir una sentencia negativa a su denuncia, para recuperar la tutela de los tres niños de la fotografía en la cámara de su móvil. Una espantosa sensación de fracso, de que el máximo esfuerzo daba igual. De que hiciera lo que hiciera, sólo le tocaba esperar que sus hijos cumplieran la mayoría de edad, para compartir con ellos el mismo techo.

Entonces, Petra Piera se encontró con Molly y Sara en el vagón del metro. Así se lo contó a Gustavo, un par de días después. Le causó una agradable sorpresa. Intercambiaron saludos y se pusieron al día, como dos vecinas del mismo barrio que se vuelven a relacionar tras muchos años. Pero ni de esa forma pudo Petra quitarse el espantajo de derrotismo enquistado en su alma, desde quién sabe cuánto tiempo atrás. Al cabo de tres semanas de llamadas telefónicas y mails sin responder, en espera de los prometedores contactos que Gustavo esperaba con ansia, Piera le reveló la verdadera naturaleza de tantas largas para facilitar la información.

—La verdad es que me supera tanta desgana... Es como si nada valiera la pena —renegó ella. De manera insólita, pidió que le siguiera llamando y escribiendo mensajes al correo electrónico—. Me servirá a mí misma para espabilarme —añadió.

Por esos días Jesús y Gustavo acordaron que el siguiente paso sería visitar el centro Els Tarongers, en el que estuvo recluida Sara. Eran conscientes de que necesitaban información de primera mano, distinta, algo más que los impactantes testimonios de madres que denuncian las supuestas prácticas abusivas de los servicios sociales. Aquella decisión no fue gratuita. Els Tarongers era casi una institución en sí misma, y el 19 de marzo del 2004 cumplió su 25 aniversario. Era uno de los pocos centros que permanecía bajo la gestión directa de la Generalitat. El primero de Barcelona que el 18 de febrero del 1980 atendió, en su anterior sede en el 196 de la calle de Roger de Flor, a los dos "primeros jóvenes maltratados, corrompidos o abandonados por su entorno familiar y social", según un artículo de prensa de la época. Tanto Molly como Petra Piera insistían en que gozaba de unas instalaciones adecuadas, pero que detrás de esa apariencia de modernidad sus funcionarias, según ambas, se alineaban con la misma actitud que habían criticado en los juzgados.

Els Tarongers no es un sitio de fácil acceso. Para llegar hasta allí sólo hay una línea de autobús que parte desde la plaza de Lesseps de Barcelona. Con un horario ejecutivo de siete y diez de la mañana hasta las doce del mediodía, de lunes a viernes, sin cumplir la ruta los sábados, domingos y el resto de festivos. El mes de agosto queda excluido de este reducido servicio. Las dos madres habían referido las dificultades para cumplir las citas con las trabajadoras sociales y sus hijos, dificultades que el 8 de mayo del 2004 pudieron comprobar los periodistas. Coincidieron en la parada a las 11.50 h, justo a tiempo para contemplar el último autobús que se marchaba. No estando completamente seguros de ello, esperaron un cuarto de hora hasta que llamaron a la compañía para cerciorarse. Efectivamente, lo perdieron. Tomaron un taxi. El sinuoso camino de cinco kilómetros estaba plagado de curvas muy cerradas, que atravesaban un frondoso bosque de cipreses y encinas. La ciudad desapareció a sus espaldas. Sólo quedó la carretera, los árboles y el monte Tibidabo. El estómago de Gustavo pronto dio tumbos y pujaba por salir por su boca. A Jesús tampoco le daba buenas vibraciones. Recordó las historias de las ejecuciones que se realizaban en las inmediaciones de la Carretera de la Rabassada, durante el fragor de la Guerra Civil. Entonces Gustavo miró por la ventanilla, quizá para tomar un poco de aire. Vio la cuneta donde eran arrojados los cadáveres, donde eran hallados luego de ser asesinados. No sólo anarquistas y fascistas, también periodistas. Pensó en cómo sería el traslado hasta el punto de ejecución. Con los ojos vendados, las manos atadas y la punta del fusil hincándole el cogote, mientras las tripas se le revolvían por las náuseas.

Quizá algo similar le ocurrió cerca de allí al periodista Josep Maria Planas la madrugada del 25 de agosto de 1936. Antes de que el verdugo le descerrajara siete tiros en el parietal izquierdo, había denunciado en sus notas firmadas la violencia anarquista. *"La Soli* dice que si no rectifico 'me obligarán a enmudecer'. Si no lo entiendo mal, eso es una amenaza de muerte. No conozco otro sistema de obligarme a enmudecer [...]. Yo firmo mis artículos. Tengo, por tanto, derecho a saber quién se hace responsable de la amenaza de la que soy objeto", conminó días antes.

A Jesús el caserón le recordó la mansión de la película *Los Otros,* del director Alejandro Amenábar. Una historia en la que la deslumbrante Nicole Kidman es un fantasma que habita en una antigua residencia. Bien podrían ser edificaciones contemporáneas, pues Els Tarongers fue antes un asilo en tiempos de la guerra. La casa está vigilada por un guardia de seguridad privada, que apareció al instante cuando los reporteros se acercaron al ingreso. Ya sabía sus nombres y les indicó el camino. Causa impresión el gran frontón de la casa con rejas en todas sus ventanas. De doble bisagra, lo cual quiere decir que en alguna ocasión pueden estar abiertas. Pero no precisamente en aquella soleada mañana de mayo. "Para evitar que entren", intentó convencerlos la directora Inés Agustí, sin especificar quién era capaz de colarse por las ventanas de la tercera planta. Debía de ser una mujer de carácter firme, pensó Gustavo, al sentir el fuerte apretón de sus manos.

Los periodistas fueron recibidos en una habitación que parecía ser utilizada como sala de reuniones, en la que había una larga mesa con 20 puestos. Después de intercambiar algunas impresiones generales sobre el emplazamiento del centro y sobre sus reducidos medios de acceso, la directora advirtió que debían firmar un documento en el que se comprometían a cumplir ciertos requisitos para su trabajo periodístico. Ya esto lo sabían, pero no dejaba de impresionarles por lo inédito que resultaba. Jesús fue quien gestionó la visita y estaba irritado por el abundante protocolo que debió seguir para llegar hasta allí. Primero una llamada telefónica al gabinete de prensa del Departament de Reacció Social, en el que le pusieron al corriente de que habían de realizar la solicitud mediante correo electrónico. No suficiente con ello, antes de comenzar la entrevista, se encontraron con la siguiente carta sobre la mesa de 20 puestos.

Traducido del catalán:

"El Sr. Jesús Martínez Fernández, en representación de la revista *Wanáfrica*, está autorizado por el Consorci de Sistemes Socials de Barcelona a realizar un reportaje del Centro de Acogida Els Tarongers, y

1. Hacer un tratamiento riguroso de la información que recibe, de la cual no se podrán desprender datos de identificación de los menores o de sus situaciones personales y circunstancias de ingreso.

2. Respetar la privacidad y la intimidad de los infantes residentes y de los trabajadores.

3. No realizar fotos en las que se pueda identificar algún menor del centro, la ubicación del mismo o algún trabajador que lo manifieste expresamente.

Para que así conste,

Barcelona, 8 de mayo del 2004."

La firma de Jesús y de la directora quedó estampada en un folio con el membrete del Consorci de Sistemes Socials de

Barcelona. El documento fue fotocopiado y ella conservó el original. Gustavo no firmó nada. El asunto entre los periodistas había sido arreglado de manera que éste último cumpliera el rol de fotógrafo. La mención a *Wanáfrica* respondía a que antes de la visita, mientras charlaban sobre el curso de la investigación en un bar del centro de la ciudad, surgió la necesidad de dar a conocer el fruto de sus averiguaciones. Eso sería importante, expresó Gustavo, para convencer a cualquier editor de publicar el relato. Ambos escribían colaboraciones para diversas publicaciones, como Jesús en *Wanáfrica,* un mensual sobre la comunidad africana de Barcelona. Pero hablar de los centros de menores no era fácil, incluso como personal fijo de una redacción. Este mismo aspecto, coincidieron, les daba mayor libertad para trabajar en asuntos que muy pocos periodistas tenían ganas o tiempo para emprender.

—¿Cuál ha sido el momento más complicado para usted en todo este tiempo? —fue una de las primeras preguntas de Jesús, para favorecer un ambiente distendido, cuando Inés Agustí le explicó que llevaba ocho años trabajando en el centro.

—Hace un par de años, cuando la DTAIA dio vía libre a otros centros colaboradores —explicó Inés— porque llegamos a tener hasta 44 niños. Esto era demasiado, porque nuestra capacidad de acogida es de 27 menores. Nos habíamos pasado un poco. Mientras podamos mantener la proporción de treinta y algo, podemos hacerlo bien.

—¿Cuál es la reacción de los menores cuando llegan al centro? —fue otra de las cuestiones planteadas por el periodista, que de buena gana eran contestadas por la funcionaria.

—Cuando son muy pequeños, el hecho de separarlos de su familia a veces implica que lo que conocen es lo único que han vivido. No saben qué es bueno ni qué es malo. Cuando ves que llevan aquí unos días y que están contentos y que responden bien, quiere decir que lo que tenían en su hogar no era tan bueno.

—¿**Cuánto tiempo deberían permanecer aquí?** —inquirió Jesús, mientras a su lado Gustavo guardaba silencio.

—Como mucho deberían ser seis meses, unos ocho para encontrar recursos o permitir una salida. Pero, a veces, hasta un año o incluso más.

—¿**Esto pasa en una adopción?**

—Después del estudio se hace una propuesta. Esta puede ser el retorno a la familia si se da una situación de cambio, como adoptar un plan de trabajo; si la familia responde, se puede dar el retorno. Si esto no puede ser, se busca a la familia extendida, como abuelos, tíos, primos, alguien que pueda responder. Si esto tampoco es posible, se procede a la acogida simple en familia ajena. Quiere decir que el ICAA [Institut Català de l'Acolliment i l'Adopció] interviene para buscar una familia de afuera, entre todas las que han estudiado y que pueden ser susceptibles de adoptar criaturas temporalmente. Si la situación está perdida, se hace la acogida preadoptiva. Se le llama así, porque en principio es una acogida simple que se convierte en adopción. Las leyes que tenemos no lo permiten hacer inmediatamente.

—**Supongo que mientras más mayores son los chicos, es más difícil el proceso...**

—El preadoptivo no se hace cuando tienen más de siete años, como mucho. Entre las familias es difícil que lo acepten superada esta edad.

—¿**Cuál es el perfil del chico que llega a un centro como éste?**

—Hay tipologías de familias, más que de niños. Hace unos años eran los de padres con dependencia de drogas, heroína especialmente. Luego venían con problemas de sida, pero desde hace un tiempo no tenemos ni uno, y esto se ha superado. Desde hace unos cinco o seis años la llegada de inmigrantes es importante. La reagrupación, sobre todo de suramericanos, no está funcionando bien, y deviene en maltrato de los hijos.

—¿Porque no tienen dinero para cuidarlos?

—No, supongo que es cultural. Con todo el respeto, son familias en las que el padre o la madre llega y se instala. Pasan tres o cuatro años, tiempo en el que los niños han crecido con las abuelas o los parientes. Entonces, cuando llegan, están totalmente desarraigados, los padres prácticamente no les conocen porque no han convivido con ellos, y hasta se encuentran con un idioma diferente. Pero esperan que los hijos se comporten perfectamente. Entonces tienen problemas en la escuela y el hogar. En estas culturas las correcciones físicas son una cosa normal y natural, que aquí no se permiten.

—¿Y qué me dice sobre el nene que murió hace un par de meses al tirarse por la puerta de un coche en marcha?

—Creo que era uno con un problema mental, bueno... -la funcionaria se puso visiblemente incómoda y Jesús salió al paso explicando mejor su pregunta.

—A veces, en los medios, se toca este tema como que en los centros los niños son tratados de manera despótica, que son una especie de casas de brujas...

—Aparte de este centro, también trabajo en uno para adolescentes. Hay momentos en los que realmente puedes perder los nervios porque entran grupos mixtos de adolescentes, con problemas de desequilibrio mental, y la red pública no da abasto. Creo que el trato es exquisito. A los 16 y 17 años son menores, pero dices: '¡Ya vale!'. Se les trata bien y entiendes que su situación personal requiere paciencia. Diálogo, entendimiento, hablar, pero no funciona muchas veces. Se fugan. Hay unos mínimos de horario y respeto que se han de cumplir. Se van, como el del coche, porque no quieren volver al centro.

—¿Su trabajo aquí le agrada?

—Es muy interesante y realmente...

—Pero a veces debe de ser complicado.

—Trabajar con las familias de los nenes es más difícil que con ellos. Los menores no tienen la culpa, así que es más complicado para los padres. Tenemos citas, llamadas, entrevistas, para intentar arreglar la situación particular de cada uno.

—¿Vuelven los niños a sus familias?

—En un 15% o 20% como mucho.

En este punto Gustavo se levantó para echar una ojeada por las ventanas y las estanterías de libros. Pensó que con algo de curiosidad hallaría algún detalle revelador o un documento embarazoso para los servicios sociales. Pero pronto se dio cuenta del error. Bastaba un poco de atenta observación para descubrir los aspectos menos románticos del sistema de cuidado de menores. Cuando quiso capturar una imagen del paisaje de la ciudad, decorado con la sierra de Collserola, inevitablemente aparecían ante el objetivo de la cámara las rejas de hierro. También afuera, en el patio de juegos, que a su vez estaba separado de un sendero por otras rejas más altas y gruesas. Desde cualquier ángulo era notable el aislamiento y la sensación de encierro. Al fondo, la ciudad, lejos, como una alfombra extendida sobre la orilla del mar y ajena a la vida dentro de Els Tarongers. En lo alto, en el costado derecho, un segmento de la cúpula de la catedral del Tibidabo, lo que apenas permitía ver las copas de los árboles a medio kilómetro de distancia. Y en el flanco izquierdo, una quebrada del terreno que se hundía en las profundidades del bosque. Concluyó que para escapar de ahí se requería coraje. No precisamente el que puede tener un niño de 12 años, que es la edad máxima para los pequeños internos. Las cuatro paredes de la habitación eran recorridas por una secuencia horizontal de fotografías, la mayoría en blanco y negro, sujetas a una cuerda por minúsculos ganchos de colores para colgar la ropa. Fotos de los trabajadores del centro cuando eran niños. Consistía en un juego de adivinanzas, señaló Inés antes de iniciar la entrevista, en el que cada uno debía identificar a los demás en los retratos. Por supuesto, la directora se negó a indicarles quién era ella. Con una amplia sonrisa que no parecía abandonarle en ningún momento, incluso en las definiciones de los aspectos más espinosos. Entonces Gustavo recibió una llamada en el teléfono móvil y salió del lugar. Aprovechó para fisgonear descaradamente en las habitaciones que comunicaban con el recibidor. No había nadie, el guardia se encontraba afuera en su ronda de vigilancia. Una de las puertas correspondía al despacho de la directora, que no se atrevió a husmear demasiado. Otras dos, las habitaciones donde los padres visitaban a sus hijos. Estaban limpias, equipadas con un sofá y diversos juegos, como coches, camiones y muñecas. Imaginó a Molly intentando dar el pecho a Sara bajo la fiscalizadora presencia de Inés, quien se encontraría a menos de dos metros, al otro lado del pasillo. También el guardia uniformado asomando las narices de vez en cuando y los trabajadores entrando y saliendo por la puerta principal. La quinta y sexta puertas correspondían, respectivamente, a un baño y al corredor que conducía a las instalaciones. Ningún progenitor debía franquear este umbral, detrás del cual se desarrollaba la vida de los condenados por el sistema o por un entorno familiar desgraciado. Una videocámara colocada sobre el dintel se aseguraba de ello. Sólo pueden ingresar los trabajadores. Estos se turnan hasta cuatro veces para cubrir las 24 horas de los siete días de la semana. Ellos llevan a los chicos cada mañana al colegio Mare de Déu del Mar, una antigua institución de las Hermanas Sabatinas de la Advenición, en el distrito de Nou Barris. Allí se quedan a comer y luego los recogen en una furgoneta. En este régimen de control y vigilancia, no resulta extraño creer que el vehículo esté blindado y equipado con dispositivos especiales, como los que emplea la policía para protegerse cuando transporta a delincuentes.

—Supongo que será un bulo, la historia negra de lo que era la retirada de los menores antiguamente —manifestó la funcionaria cuando Jesús le preguntó sobre ciertas informaciones que había encontrado en Internet, de las supuestas motivaciones económicas para la retirada de los menores. Era un hecho cierto que los centros privados recibían una remuneración diaria por cada interno—. Lo que había era el tema de las órdenes religiosas que antiguamente hacían y deshacían a su aire —continuó Inés Agustí— para entregar los niños a familias conocidas.

Siendo un centro público, Els Tarongers no era el mejor lugar para demostrar un vínculo entre el internamiento y el dinero recibido por ello. Su funcionamiento dependía de un presupuesto a cargo de las instituciones catalanas. Pero reconocía que los "centros colaboradores" recibían cantidades variables de acuerdo con el número de niños que debían atender. ¿Cuántas personas piensan en esto cuando deciden el destino de un menor?

—**¿Cómo reaccionan los chavales cuando ingresan?** - continuó Jesús con su interrogatorio.

—A veces es como... hummm... —Agustí acompañó estas palabras alzando las cejas y abriendo los ojos, desde luego, sin perder la sonrisa— una novedad, algo diferente, no sé..., una casa de colonias, vacaciones.

Después de algunas explicaciones adicionales políticamente muy correctas, comenzó el recorrido por el recinto encumbrado en Collserola. En la primera planta había algunas oficinas, la cocina y los comedores. Sólo había adultos, y se respiraba un ajetreo de oficina central de correos donde todo el mundo va y viene sin mucha prisa. El final del corredor conectaba con un patio trasero, donde se encontraba la zona de juegos que Gustavo observó desde la sala en la que Jesús entrevistó a Inés Agustí. Estaba alfombrada por grama sintética y tenía unos treinta metros cuadrados. Este espacio se compartía con un par de estancias que parecían ser un área de lavandería o limpieza, junto a una veintena de pequeñas motocicletas de plástico y triciclos en buen estado. Ciertamente había mucho dinero invertido en todo ello. Desde ese lugar la vista de Barcelona impresionaba. Entonces el periodista con la cámara sacó el aparato y apuntó a distintos ángulos. Ocurría que cada vez que el personal del centro veía asomar el objetivo, huían despavoridos como si fueran los ojos del mismísimo demonio. Fue en ese sitio donde se estremeció, al ver que la barda de hierro rodeaba el espacio, y se imaginó cómo sería vivir rodeado de vallas. Naturalmente como en una prisión, pero sin delito ni culpa. Había diferencias, pero ¿podían unas instalaciones dignas con juguetes de primera atemperar esta sensación entre los críos que comenzaban aquí parte de sus vidas? ¿Realmente les facilita el sistema una mejor vida reintegrándolos en sus familias? ¿Simplemente se alimenta un sistema burocrático, complejo y costoso? En una esquina, entre la zona lúdica y los trasteros, había un acceso restringido por una puerta de verjas. A través de una escalera que descendía por la pendiente natural del terreno, se llegaba al área destinada a los niños de más edad. Habilitada con aros de baloncesto y un campo de fútbol, pero circundada por otra valla que limita con el boscaje. Gustavo buscó más detalles para fotografiar. Como el par de docenas de ventanas cubiertas con varas de hierro, como respiraderos de una jaula. Casi todas con las persianas bajadas, a pesar de la fresca primavera. Rejas. Rejas. Rejas. Algo de claustrofobia le inspiró la visión de un par de marcos -extintas ventanas- clausurados en la segunda y tercera planta. Se distinguían del muro original por la huella de unos ladrillos, parapeto que añadía cierta mezquindad al caserón en contraste con su amplitud.

En el segundo y tercer piso se ubicaban las habitaciones para dormir y aquellas destinadas al ocio y las actividades pedagógicas. No había nadie en ninguna, excepto en las de los más pequeños, que aún no estaban en edad de ir a la escuela. La disposición de cada objeto daba la impresión de seguir un criterio profesional, un rigor de estricto cumplimiento que emanaba desde la disposición superior. Las blancanieves, los ratones miguelitos y otros legendarios personajes infantiles serenaban desde los cuadros colgados en las paredes, en las que se les mostraba a los internos un mundo perfecto que jamás existió. Matorrales muy distintos a los que les cobijaban en Els Tarongers, habitado por ciervos y conejos capaces de emitir sonidos. Seguramente habría películas de estos fantásticos animales en la sala de televisión, en la que los niños se entretendrían con aleccionadoras leyendas sobre el amor y la vida. Relatos que no tenían ningún sentido en la experiencia cotidiana que les tocaba vivir. Ya en el interior se comprendía, por la altura de las ventanas, que las rejas pretendían evitar la caída de algún nene. Aún así resultaba difícil desprenderse de la desolación que producía la escena exterior de la montaña surcada por las implacables varas de metal. Con un orgullo difícil de disimular, la jefa del centro explicó a los reporteros cada detalle. No dejaba pregunta sin respuesta. De todas ellas, la única inquietante fue sobre el dispositivo electromagnético ubicado en lo alto de las puertas. Un círculo del tamaño de una mano, que empataba con otro similar, pero enganchado a un pequeño brazo metálico adosado a la pared y conectado a un cable.

—Es para que no puedan cerrarse en caso de incendio, por ejemplo, de manera que circule el aire —advirtió.

Por las mañanas, antes de ir al colegio, los amplios espacios debían de estar llenos. El silencio que acompañó a los reporteros no fue reemplazado por el bullicio, los berrinches, las risas y los llantos. Luego fueron a la terraza, donde no había nada interesante. Sólo unas chimeneas, posiblemente de la cocina y la calefacción. El antiguo refugio de guerra había sido ampliado y podían notarse las diferentes estructuras. Valía la pena estar ahí por la imponente vista de la Ciudad Condal y para experimentar esa sensación de poder que produce la contemplación de los seres humanos desde las alturas.

Cuando terminó la visita, Inés Agustí les llevó hasta el porche. Ahí se les ofreció llamar a un taxi, pero rechazaron la oferta de esperarlo en su compañía. Estaban ansiosos por intercambiar sus impresiones. El taxi no tardó en llegar. Durante el viaje hasta la ciudad comentaron todo, especialmente las incontables rejas, mientras el mareo y las náuseas volvían al estómago de Gustavo y los recuerdos de las ejecuciones extrajudiciales en la Guerra Civil atormentaban nuevamente a Jesús.

CAPÍTULO 5. El velo de Sara

Molly le llamó desde un locutorio en la mañana fría y caluro-sa, raquítica y voraz del 2 de mayo del 2004. El gripón de Jesús aún le afectaba las cuerdas vocales después de una Fiesta de los Trabajadores pasada por agua.

Un día antes, Molly ya le había dejado un aviso de su inten-ción, marcado por el signo imprevisible de la probabilidad: "Quizá podríamos quedar este fin de semana". Él ya se había olvidado por completo de ella cuando le llamó.

—No te oigo, Molly, ¿dónde estás?

—En un locutorio —dijo la mujer— *Jrjrjrjrjrjrjrj...*

Se movió, cambió de postura, orientó el teléfono móvil para que entrara en la órbita de algún satélite sin averías y que captara la señal...

—¿Me oyes ahora? —preguntó Jesús.

—Sí, ahora sí, ahí está bien. No te muevas. He venido a Barcelona, podríamos quedar, pero estaría bien en un parque, o no sé. Es respecto al sitio, ya que vengo con mi hija y no puedo hablar ni estar pendiente de ella en un sitio donde hay mucha gente, ni quiero que escuche la conversación. No sé si en las proximidades hay un parque que esté bien limitado de la carretera y que se pueda entretener con columpios y que no estén demasiado altos para que pueda subir y no tenga que seguirla con la vista cada segundo, o algún establecimien-to de comida rápida donde haya *chiquipark*.

Quedaron enfrente de la entrada de la tienda de libros y dis-cos FNAC, de la calle de Vergara. El sábado, a las seis. Molly llegó a las seis y media, con Sara en brazos, apurándose hasta que el sudor se le extendió por los sobacos y le subió hasta la nuca. La peque ni reía ni lloraba, se mostraba suspicaz, y ni eso. Permanecía en silencio, desilusionada, apacible, como de vuelta de todo, sin pretensiones ni curiosidad. Jesús la saludó como pudo. Tuvo la idea de comprarle un helado, pero la madre hizo que desistiera del intento.

—¿Vamos al parque? —sugirió Molly.

Fueron a la plaza de Castilla, y en el trayecto, la insustancialidad gobernó la conversación. Él se interesó por su estado; ella rehuyó sus problemas; él teorizó sobre el supuesto abuso de poder de la DTAIA; ella reivindicó sus derechos; él lamentó los inconvenientes y los apretados márgenes de maniobra de la administración pública, con sus complicadas instrucciones y sus alivios de sobremesa; ella burlaba la voz en el anemómetro de su garganta, con el serpentín de su cabello, para que sus palabras se esfumaran sin ser entendidas; él le recitaba el corán de sus averiguaciones, suposiciones, presunciones...; ella ni le escuchaba.

El lugar no era el más idóneo para una cría. Delante del convento de los padres mercedarios, protegido por una candela de los *botellones* infieles, un grupo de vampiresas, de negro, con las uñas de negro, el pelo lacio y negro, liso como el de Amely, góticos y negros, se liaban un porro con un mechero rojo que daba una potente llama de fuego negro. El perro que correteaba por el laberinto de sus piernas, y que obedecía al nombre de Inca, cargaba con collares de pinchos y argollas y amarres. El animal se deshacía de las sujeciones, con la misma facilidad con la que olisqueaba una lata de sardinas al lado de una papelera vacía.

Se apartaron de estos sujetos siniestros y educados para iniciar un diálogo impenetrable y huidizo cerca de la buhardilla del infierno del Shamrock, un pub irlandés. Jesús le pidió permiso a Molly para usar la grabadora. Para distraer a la hija, hizo unas pruebas de sonido con ella.

—Hola hola hola hola... Dilo tú.

—Va, di *hola* —añadió Molly.

La niña, muda, sobre el césped de la plaza de Castilla, se revolcaba en los brazos de Molly, ahondaba en el bolso para apoderarse de su cochecito, una grúa amarilla de dimensiones milimétricas, y sobre sus ruedas corría por los bordes de los matorrales. El perro faldero que le seguía, y que se intentaba ganar su atención, se volvía mientras movía el rabo como un parabrisas. Molly le había hecho huir con una palmada que sonó hasta en los lavabos de los destacamentos especiales del Delta Force de los *marines,* en la Zona Verde de Bagdad.

—**¿Querías poner una demanda?**

—No creo, porque miraba por la vía penal y necesito un abogado que trabaje mucho, y por vía civil me corresponde indemnización. Pero no me interesa. He salido muy apenada después del juicio y me ha felicitado mucha gente, que me han pedido que les demande. Me parece que si sigo, es hacer negocio como ellos han hecho conmigo. Me da asco. Si lo hago, sería una demanda penal.

—**¿Contra la DTAIA?** —continuó Jesús.

—No, contra unas personas que han falsificado informes y que han prevaricado. Yo necesito un abogado, pero estoy endeudada. No quiero estar detrás de abogados. Quiero dedicarme a mi hija, que tiene serios problemas.

—**¿Qué le pasa?**

—Le han metido un rollo dentro. Problemas de salud psicológicos y psíquicos.

—**¿Lo notas?**

—Sí —contestó la mujer, segura de sí misma.

—¿Qué hace?

—No habla.

—¿Contigo?

—Conmigo sí…, y las cosas que dice: "¡Haz esto de una puta vez!", "¡Te mato!", "¡Aquí mando yo!". Por ejemplo, cuando estuve en Murcia, el marido de mi amiga Rosi grita, da golpes. Ella está pendiente y hace caso, pero si le gritas, no hace caso.

—Rosi, ¿quién es?

—Rosana.

—¿La amiga con quien fuiste a Murcia?

—Rosi me contrató, y estuve una temporada después de la sentencia. No conocía muy bien las circunstancias. Realmente mi hija no estaba a gusto allí.

—¿De qué trabajabas?

—De niñera. Entonces, sus hijos me comenzaban a llamar *madre*, y yo estaba insegura. Diez horas por día. Mi hija tenía celos. Parecía que yo la discriminaba. No me va ese rollo. Era como todos somos tan solidarios que yo la ayudo con sus hijos. Me dejaba sus cinco hijos: "Ahora tienes con quien jugar". Yo no podía…

—¿Te pagaba?

—No, porque su marido había quedado en paro. Hacíamos un trato. Ellos me daban estabilidad. Ella me buscó un trabajo, pero no era capaz de pagarme, aunque me mantenía contratada.

—Pero ¿de qué la conoces?

—La conocí a través de Internet —explicó Molly—, como todas las madres, a través de otros. Ella ha tenido allí mucha gente y ya parece explotación.

—¿Ella quién es?

—Simplemente le echamos una mano, pero ella no me respondía con lo mismo. Ella me contrató, pero tampoco salí ganando. Parecía una explotación, y yo ya no tenía tiempo para mi hija. Viven animales, cinco niños, y el suelo sucio y mal ambiente. Yo no podía. Ésta [señala a Sara] no llegó a hablar ni una sola palabra con nadie de la casa. Ella se acostaba así y no decía nada. Ahora dice algo a veces, sin mirarme.

—**Cuando dices 'falsificaciones'... ¿Tienes pruebas?**

—Tengo un informe de una historia de vida hecha detrás de mis espaldas. No saben nada de mí. Puedo comprobar varias cosas. Hay muchas opiniones. Pero esto, por vía penal, no; y no me interesa. Todos eran como... De repente, cuando el juicio, de repente aparecieron los de la asociación de madres como que me iban a salvar...

—**¿Qué asociación?**

—No, la misma, Josefina y otras. De repente como que ahora vas a sacar dinero. Pero en el momento que yo luchaba no tenía tantos amigos...

—**¿Cuánto te decían que podías pedir de indemnización?**

—Me han dicho que por vía penal, no sé..., pero me da una satisfacción.

—**¿Ernest Duran no era tu abogado?**

—Era; y es muy caro, me cobraba más de 100 euros por día, festivos incluidos. Es uno de los más caros que he tenido.

—**Yo creía que era gratis.**

—Yo le conocí muchísimo tiempo antes de llevar mi caso. Le conocía mediante una asamblea de vecinos en la que se podía consultar con personas. Me daba buenos consejos. Para llevar mi caso lo hizo como abogado.

—En Els Tarongers, ¿cuánto tiempo llegó a estar Sara?

—Un año. De finales del 2001 a finales del 2002.

—¿Cómo fue esa experiencia?

—Tengo un librito de 14 fotos y en ninguna está sonriendo. En todas lleva lágrimas en la cara. En el juicio decían que la niña no reía ni lloraba, que sólo le caían lágrimas y gemía.

—¿Le trataban mal?

—Le trataban muy muy mal.

—¿Qué le hacían?

—La encerraban. No le hacían nada, no la lavaban, la tenían detrás de una puerta cerrada, desmayada, porque la dejaban con abrigo, llorando... Durante un año la veía entrar con lágrimas y salir con lágrimas, pero yo no voy a hablar de eso ahora, porque ella está aquí y no me gusta.

La niña, con mocos, se sonaba en la camiseta. Molly sacó un clínex e hizo que se sonara fuerte. La niña corría de un lado para otro, alejada del olor penetrante a marihuana que desprendían los habitantes sin sandalias de los bancos verdes.

—¿Crees que no se han hecho bien las cosas?

—Los centros son un negocio. Els Tarongers no tiene nada que ver con la DTAIA. Es aparte. Els Tarongers llamaban al ambulatorio y coaccionaban a la pediatra, que no se dejó convencer. Son el último eslabón, adonde van los niños. En este centro no le daban ni comida ni ropa —que era de segunda mano— ni agua mineral ni nada. La comida se reducía a unos espaguetis hervidos incomibles. Eso era la comida diaria. Yo lo veía porque tenía un periodo de adaptación con ella. A ella si le hablas de verdura o sopa, no lo quiere ni probar.

—¿Cuánto cobraban por la niña en Els Tarongers?

—Se dice que a partir de 400 euros por día. Pero más de 100 euros por día, sí. El promedio puede ser 200 euros.

—¿Ese dinero de quién lo reciben?

—Del Gobierno central. Ellos hacen las estadísticas. Como, por ejemplo, camisas. Ellos necesitan retiradas. No cobran por solucionar problemas, sino que cobran por cada retirada. Ellos presentan estas estadísticas.

—¿Cuántos niños hay en Els Tarongers?

—Cuando telefoneaba me preguntaban cómo se llamaba mi hija. Decía la del teléfono: "Tengo 40 niños y estoy sola y no me voy a aprender todos los nombres". Y me decía, tranquilamente, que eran como perritos los niños: "Yo tengo 40 niños y no les puedo cortar el pelo a todos". Luego sabía que había cuidadores en la piscina, y no hacían nada. Se supone que les vigilaban... Los niños parece que son presos, les llevan en un coche entre *seguratas* y se tiran al suelo porque no quieren ir al centro. Hacen las visitas separadas. Cada hora punta, cuando acababan las visitas, se oían gritos.

—¿Cuándo ibas tú?

—Cuando tenía visita, una vez por semana, afortunada. Hay gente que no tiene ni una hora. Había una cuidadora que le parecía mal que le diera el pecho y que la niña se quedara callada. Mi niña, el primer mes, perdió la voz. Yo no la vi sin lágrimas durante meses.

—¿Las fotos las hacías tú?

—Ellos.

—¿Conociste a la directora del centro, Inés Agustí?

—La conocí en el juicio. Era una persona que iba con un cuento que decía que había unas normas y tal y tal... Que las normas, que no se podían traer cosas, que las normas se habían de cumplir... Hablaba con voz cálida en el juicio. Ella vive en su historia y supongo que para su familia es una buena persona. No sé si se engaña a sí misma o tiene una ideología metida en la cabeza, pero mucha gente está educada en forma de dictadura. Desprecian a todos los que tienen problemas, gente pobre con poca educación, y les quitan los niños como quieren y les tratan como quieren.

—¿Te quitaron a la niña para cobrar la subvención, según tú?

—Es un negocio. Intentan cumplir con su trabajo. Está bien visto conseguir más subvenciones.

—¿Por lo tanto, te la quitaron para conseguir más dinero?

—Sí, es como los *sin hogar* que van a servicios sociales y las ayudas que se quedan los centros. Como es mala persona, nos quedamos su ayuda.

La niña corría con ganas de jugar. Molly la vigilaba, mientras contestaba con tal parsimonia que daba la sensación de que lo único que le hubiera quedado de una sesión de hipnosis fuera la templanza. A Sara, Jesús le hacía cosquillas en la barriga, como a un gatito, y se reía sin reírse, con una risilla tan incompleta que era una mueca huérfana.

—¿Tú cómo estás ahora?

—Yo, intentando encontrar algún tipo de sentido a todo esto, es como algo que pasó. Intentar integrar todo eso en mi vida. Cada día la veo y me acuerdo de las cosas, no puede ser como si ella acabara de nacer y no hubiera pasado nada. En ella veo lo que ha pasado.

—¿Dónde vives?

—Ahora, en Barcelona, intentaré ver si con los contactos que tengo puedo tener una casa; si no, tendré que marchar.

—¿**Adónde irás?**

—No lo sé, tengo que... No voy a permitir que me vuelvan a quitar a la niña.

—¿**Ahora tienes que enviar fotos de tu hija a la jueza?**

—No, no tengo que hacerlo. La sentencia recomienda que se haga un seguimiento. Yo he intentado contactar con la DTAIA, pero no me hacen caso. Allí, en Murcia, no conocía a nadie, aquí conozco a gente, pero aquí la situación de alquileres es muy difícil. Me tengo que asegurar de que...

Molly encendía un cigarrillo con una lentitud exasperante.

—¿**Crees que el sistema falla?**

—Hay mucha gente que recibe una educación y que cree en esto realmente. Estamos en democracia, no en dictadura, pero la gente no le afecta ver el sufrimiento. Mucho personal se vuelve así y no gestiona nada. En la DTAIA mandan cuatro funcionarios, la *Consellera* [de Reacció Social, Pepita Roig] no es nadie.

*

Después de aquel Barça 6-Madrid 2, del sábado 2 de mayo del 2004, en el que las birras se multiplicaron como los panes y los peces, justo después de su conversación con una Molly Malone decidida a largarse del país si la seguían "acosando", con la tremenda alquimia de su carácter inescrutable, no había vuelto a saber de ella. La llamó. Ella no devolvía las llamadas. Le escribió. Ella no acusaba el recibo. Un día, recibió un mail en el que le rebotaba una consulta previa reconvertida en una frustración. Ella le dijo algo así como que ya les había ayudado bastante y que, en ese momento, quería tener un control más directo de la línea que estaba siguiendo el trabajo de los reporteros. Jesús se abstuvo de contestarle. Antes, ella le había hecho llegar uno de esos recortes que circulan por Internet sin ningún filtro:

"Diversas plataformas en contra de los centros de menores y de apoyo a menores encerrados han convocado una concentración para mañana, a las 12 horas, ante la sede del Instituto del Menor de la Comunidad de Madrid contra este tipo de instituciones, a las que acusan de "maltratar" a los internos, tras la muerte de una chica mientras viajaba de regreso a uno de estos centros ubicado en Azuqueca de Henares. La fallecida tenía 14 años y estaba tutelada por la comunidad de Castilla-La Mancha, interna en un centro de protección de la Fundación O'Belén. El pasado domingo la joven se dirigía en furgoneta de vuelta al centro 'Casa Joven' cuando, en un momento dado, se tiró del vehículo, lo que le provocó graves lesiones. Fue trasladada muy grave al Hospital del Niño Jesús de Madrid, donde perdió la vida a última hora de la tarde.

"No es la única muerte que arrastra consigo esta fundación. El 2 de diciembre del 2003 un niño moría también en las dependencias del centro Picón, de Paracuellos del Jarama, cuando se encontraba en aislamiento. Poco después, otro chaval lo intentaba", indicaron las plataformas.

En este sentido, alegan que el informe del Defensor del Pueblo hecho público en febrero denuncia deficiencias en este tipo de centros.

"En concreto, sobre el centro al que se dirigía la niña fallecida, en Azuqueca de Henares, apuntaba que se abusa cotidianamente de la contención física poniendo en riesgo al menor. Se destapaba así la continua vulneración de los derechos de los menores", manifestaron los convocantes de la concentración. Por último, señalan que en estos centros se han practicado "agresiones físicas y psicológicas, violación del derecho a la intimidad, la privación de libertad sin orden judicial, así como la medicación forzosa y en múltiples ocasiones sin supervisión facultativa".

Agotada la *vía Molly*, Jesús seguía recogiendo y agrupando los mails que aún recibía de su amiga Laura. Ésta escribía desde un correo con el *nick* de Paula, y homologaba los casos de posibles maltratos en los centros de menores para rebajarlos a la condición del "no hay nada que hacer":

"Conozco algún caso pero se trata de una familia que está pendiente del retorno de los niños y prefiere no hablar. También hay alguna madre cuyo niño está bajo tutela de familiares y algún otro más pero no tengo contacto. Creo que estás pendiente de Molly."

La enfermera y la pediatra que testificaron en el juicio, después de haberles dado su consentimiento para explicar los pormenores del expediente Molly, se habían echado atrás. "Sí, sí, nos han pasado tus ruegos. Te llamaremos, tenemos que cuadrar el día para que las dos podamos coincidir..."

Nunca llamaron.

En sus frenéticas carreras por los juzgados de las vidas rotas, Gustavo se había hecho con los legajos digitalizados de

22 casos, en los que por algún que otro motivo los conceptos jurídicos se habían alineado para la conjunción astral de los *desamparos,* concepto definido así: "El desamparo es, en primer lugar, una situación de hecho, querida o no, en la que se encuentran o pueden encontrarse los menores, caracterizada por la privación de la asistencia o protección moral y material necesarias, lo que dará lugar, de forma automática, a la asunción de la tutela por la entidad pública que tiene encomendada la protección de los menores, con privación de la guarda y custodia a los padres biológicos".

Gustavo le facilitó los casos a Jesús con este encabezamiento: "Aquí hay buen material para revisar...". La ficha EDJ 1992/5972, por ejemplo, rechazaba un recurso de apelación "interpuesto por los promotores del expediente respecto a la desestimación de la oposición"... tralará tralará... Se fallaba en contra del recurso presentado por los padres para recuperar a sus hijos.

Un fundamento de Derecho específico le dio que pensar a Jesús, porque, como mínimo, arrojaba una serie de dudas tan larga como una ristra de ajos: "Habida cuenta la profunda subjetividad y *tensionalidad* que impregnan las cuestiones derivadas de las crisis familiares, el Tribunal aprecia la concurrencia de circunstancias excepcionales para no efectuar imposición de las costas causadas en esta instancia a la parte apelante".

Jesús tiró del informe que el Defensor del Poble Català había presentado el 4 de junio del 2004 en el Parlament de Catalunya con la enumeración de los percances en los centros de menores que los técnicos habían denunciado. En el tocho, de más de 100 páginas, con gráficos y tablas y muchas negritas, se desprende la conclusión a la que el equipo de periodistas ya había llegado: los centros de menores están saturados.

La nota de EFE, sin firmar (¿quizá por la purga que algunos colegas aseguran que está llevando a cabo el *genio* del idioma Álex Grijelmo?), condensó en seis párrafos el follón chapucero que ellos llamaban "insuficiencias del sistema":

"Los centros de menores están al límite de su capacidad, la sobreocupación llega hasta el 150%, y el 5% de los niños en situación de alto riesgo están a la espera de que la administración les asigne algún tipo de recurso de protección, según el informe que hoy [4 de junio del 2004] ha presentado el Defensor del Pueblo de Cataluña.

El síndic, Lionel Cleries, ha entregado esta mañana al presidente del Parlament, Bernat Eduard, el informe extraordinario "La protección de la infancia en situación de alto riesgo social en Cataluña".

Dicho informe reconoce el esfuerzo presupuestario que ha hecho la Generalitat en los últimos años, ya que entre 1998 y el 2002 los recursos destinados a los menores desamparados que tutela la administración han aumentado un 28%.

No obstante, este incremento no ha impedido que los centros sigan estando "al límite o por encima de su capacidad": "La sobreocupación está, en algunos casos, cerca del 150%".

La Generalitat tutela 7.450 niños, pero trabaja con alrededor de 10.000 menores en situación de alto riesgo social.

De estos 10.000, un 5% están a la espera de que la Generalitat elabore un estudio sobre su situación y les asigne el recurso de protección más adecuado para su caso."

El periodista gestionó una entrevista con el Defensor del Poble Català, Lionel Cleries. Pero su cargo no quedó al alcance de sus aspiraciones. Mediante el gabinete de prensa le tramitaron una entrevista con el adjunto para la defensa de los derechos de los niños, Lluís Grau.

Esa mañana de junio Jesús había previsto lo imprevisible, por lo que el despertador sonó antes de que lo apartara de un manotazo, el microondas calentó el café sin que las llamas derritieran la taza y en el metro los de "una ayudita por favor", que en otras ocasiones se balanceaban y bailaban el *bacalao* con su *mono* a cuestas, se habían escondido debajo de los compresores del aire acondicionado de la estación de Sants.

El periodista debía estar a las nueve en su trabajo en Ediciones Bolena, en el número 8 de la calle de Gavà. A esa misma hora se encontraba en una parte céntrica de la ciudad, y como era imposible estar en los dos sitios a la vez, había decidido levantarse antes que los *autobuseros* con túnicas de zaraza de Can Sabaté, para enviar un par de mensajes a los teléfonos móviles de su jefe, José Machado (autor de *Poética de la Intendencia,* un tratado de conducta fundamental en las relaciones humanas), y de Claire, su compañera de la mesa de detrás, con un "ahora llego" que, siendo habitual en este país, podría ser un *ahora llego* de hora y media.

En la avenida de Lluís Companys, en los Juzgados, recubiertos por un andamio que podría usar el artista Christo para sus *happenings,* preguntó si el número 5 estaba cerca, y su reclamo fue subiendo de piso en piso en los capazos de las voces roncas de los paletas:

Uno.—¡Pepe, ¿el número cinco es este?!

Pepe. —¡Juan, ¿este es el número cinco?!

Juan. —¡Tú, ¿el número cinco?!

Tú se encogió de hombros, y sin mover los labios, con indiferencia, con arneses y clavijas, mientras se agachaba para coger el cabo de una cuerda tan gruesa como un calabrote que se perdía en las salas por donde antes taconeaban las abogadas del Estado, le dio a entender que mejor seguir buscando. Una señora le indicó la finca exacta.

En la recepción del Defensor del Poble Català, con un desnudo marmóreo y de una finura exquisita de Josep Clarà, preguntó por Benjamín Stilton, de prensa. Como fuera que Benjamín no estaba a la hora que habían convenido, preguntó por Lluís Grau, la persona con quien se entrevistaría. Un tríptico levítico, como *La Virgen y el Niño*, de Pedro de Vargas, descomponía el paisaje de la recepción con estos actores sacros en lugar de los representantes bíblicos: *"Frederic Rahola, les bases; Anton Cañellas, la consolidació; Lionel Cleries, l'expansió".*

Durante los cinco minutos que esperó en un banco de ambulatorio de la sala adyacente, rodeada de puertas sin rótulos ni pistas, y antes de que una empleada con el mutismo de los subdelegados del Gobierno le guiara hasta las dependencias de la segunda planta, pudo comprobar la arquitectura racionalista, de mampara y funcional de un edificio rehabilitado para su uso actual. Jesús lo bautizó como el Edificio Orange, con tanta franja naranja que daba más la talla de una sucursal de recargas de telefonía que de la institución que "supervisa y mejora el funcionamiento de las administraciones públicas catalanas y de las empresas que proveen servicios de interés público", según el panfleto de la mesilla.

En la salita de la segunda planta volvería a esperar. Blancos de *tetrabrik,* paredes de manganeso y maderas de ocume, con espacios abiertos en los ángulos cerrados y paneles movibles sujetos a centelleantes vidrieras, con una claridad que atenuaba cualquier predisposición al refunfuño. Jesús miraba por la ventana, y se quedó embobado con los duelos de las Golondrinas Messermitch, por encima de las copas de pastel de las acacias floridas y ovaladas del Arco del Triunfo, que acariciaban la fachada del Defensor que daba al mar. Entró Lluís Grau, con una tarjeta de presentación y una copia del informe de los centros de menores. De un metro setenta, quizá, no muy alto, con ojos nítidos de niño travieso y ciencias exactas, Lluís es un sociólogo-economista que ha aunado los trances de dos carreras en una explosión galvánica para ayudar a las familias que se quejan, "porque tienen derecho a quejarse".

La primera pregunta fue genérica, como los boxeadores que dan los primeros puñetazos para tantear el terreno enemigo. Sin concretar, sin enfadar, sin malas artes. Quería saber la opinión del Defensor sobre el estado de los centros de menores.

—Te explico un poco nuestra visión —comenzó Grau—. Nuestra función por mandato es controlar la administración, e incidimos en la cuestión *procedimental,* es decir, que los procedimientos de la administración se apliquen correctamente. Y luego tenemos una vertiente colaboradora: en cada informe incluimos nuestras sugerencias y opiniones que luego la Administración puede o no aplicar. No tenemos ningún poder coercitivo. Si vemos indicios de delito lo podemos llevar a Fiscalía de Menores, pero si no, observamos y colaboramos con la propia administración —se confió. Hablaba sin tapujos, con naturalidad, sin saña, como el palafrenero liliputiense del Hombre Montaña de *Los viajes de Gulliver,* sin estridencias, cortesano, prudente—. La protección a la infancia es el tema más importante, porque ellos son los más vulnerables y a quienes hemos de proteger.

Lluís Grau hincó el diente en el informe que habían presentado al Parlament el 4 de junio, en el que se establecía un cuadro sobre la situación crítica, aunque no desesperante, de la falta de inversión en las caletas de los pescadores de los niños sin amor.

—Hemos presentado este informe. Una parte son cifras, acogimiento familiar, DTAIA, gasto por menor... Luego otra parte es el análisis típico del Defensor con las *disfunciones* que vemos, desde la puerta de entrada de los niños en los centros hasta su mayoría de edad.

La evaluación que el Defensor hacía no se apartaba de la vía oficial. Desechaba la mezquindad de los portadores de intenciones rufianescas, contrastaba los números en Excel y trabajaba codo con codo con los profesionales del sector. Algunos de éstos estaban tan quemados como insatisfechos, lo que viene siendo lo mismo cuando te hallas en un punto muerto. Los centros de menores no daban abasto.

—¿La evaluación? Intentamos sintetizar muchas experiencias que observamos. Reconocemos el esfuerzo de la Administración en los últimos años, sobre todo con la infancia tutelada, pero los recursos siguen estando muy al límite. Una de las conclusiones más claras es que estamos en un sistema saturado, y un sistema saturado no puede ofrecer calidad, más allá de las vocaciones de los profesionales. Aunque se niegue la sobreocupación de los centros, en los centros de acogida hay mucha presión. Hay una lista de espera de 160

chavales con necesidad —por petición de DTAIA— de un centro de menores, y ese centro de menores, para ellos, no existe.

Se lo explicaba de manera medio intuitiva, pero no tan sis-
temática como las agujas de sus expedientes, en los pajares
con solapas:

—En Cataluña hay 15 centros de acogida y 100 centros
residenciales de acción educativa (la DTAIA puede tener plazas a partir de convenios). Un niño tiene dos vías para llegar
a la tutela. 1. Proceso urgente: situaciones no detectadas previamente. Los mossos entran en una casa por el aviso de los
vecinos, que han denunciado maltratos, y este niño necesita
urgentemente protección inmediata. Van a centros de acogida
con un equipo técnico multidisciplinar, por un periodo de
tiempo menor, de seis meses. Se hace un estudio sobre la
situación del niño y se redacta una propuesta de salida. 2.
Proceso normal: la DTAIA hace una propuesta para ver el
futuro del chico, si ha de ir a una familia de acogida o bien de
"contención en el núcleo", con la familia de origen. El niño ya
está estudiado, digamos.

"Lo que observo es que en los centros de acogida hay equipos competentes. Els Tarongers está preparado, pero otros
sitios tienen falta de espacios, por ejemplo, La Mercè, en
Tarragona, con diversos hogares para bebés, etc. Allí hemos
contado hasta 90 niños cuando debería haber 54. Las puntas
de sobreocupación elevadas dificultan la atención individuali-
zada, debido al estrés en el trabajo", deploró el funcionario.

Lluís Grau ni se ahuecaba tras sus gafas invisibles ni escondía su responsabilidad. Y tenía una idea global y abierta de lo
que deberían ser los centros de menores, irónicamente llamados Centros Residenciales de Acción Educativa (CRAE) en
vista de las denuncias acumuladas:

—Un CRAE bien hecho —reveló Grau— vale mucho dinero. Debe ser un centro pequeño que ha de reproducir un entorno familiar. El CRAE ha de ser una medida complementaria. Un tercio de niños tutelados están en estos centros de menores, unos 2.516 niños.

—¿Sufren maltratos?

—Es un tema que me preocupa. Hemos observado y somos críticos. Lo que pasa en la vida interna de los centros se ha de poner entre comillas. Soy crítico con el informe del Defensor del Pueblo de España. Se ha de hacer un análisis exhaustivo para saber qué pasa. Se puede ser muy destructivo con algunas actuaciones. Hay gente que se escandaliza porque algunos centros tengan celdas de aislamiento, pero es que son necesarias porque hay chicos que puedan tener brotes psicóticos. Se ha de ser cuidadoso. Con las quejas de las familias biológicas, que son la mayoría de las que nos llegan, se ha de ser también cuidadoso: son gente afectada por la decisión de la DTAIA, y tienen una visión parcial. El contraste entre la visión de una madre que viene aquí y la del equipo técnico que trata a la criatura es muy grande, parece que te hablan de casos diferentes. Abordamos los casos críticos. Hemos actuado con equipos técnicos cuando no vemos los procedimientos adecuados. Pero existe el riesgo de hacer tuya la voz de quien se queja. Y otra cosa que me preocupa es que han de ser los mismos chavales quienes se puedan dirigir a nosotros...

El periodista, que miraba el reloj a intervalos de cinco minutos (llegaba ya demasiado tarde a su trabajo en Ediciones Bolena), sentía que la broza de la información que le proporcionaba este experto en educación infantil podía taparle los términos que aún no se le habían escapado...

—¿Desacuerdos con los procedimientos?

—Vemos desacuerdos con los procedimientos del centro. Tenemos un número significativo de quejas con respecto al régimen de visitas, que ha de ser en función del interés del menor y que nunca han de depender de los horarios de verano, etc. El derecho de la familia existe, y se ha de cumplir. Algún niño se ha quejado porque no quiere que le trasladen a otro centro. Al menor se le ha de escuchar. Puede ser que recibamos una queja de algún trato especialmente duro por parte de algún educador, o sobre la calidad de la comida, pero no abundan estas quejas.

Dicho lo cual, el adjunto pasó la manopla para suavizar la información:

—La DTAIA tiene un mecanismo de acogida muy bueno, de análisis y diagnóstico, con una protección en el entorno familiar. Hay familias de acogida que se hacen cargo del bebé durante seis meses, mientras dura el periodo de estudio. Pero a veces dura hasta 15 meses, y si es un proceso preadoptivo, la familia de acogida pide quedarse al bebé, aunque no puede, porque la lista de adopciones va por otro lado. Hay claramente una disfunción. La decisión se ha de tomar en interés del menor. Aunque hay un déficit de familias: el 22% de niños menores de dos años se encuentra en los centros porque no tiene familia de acogida.

El periodista, que veía cabalgar las agujas del reloj como si fueran las lanzas de las justas medievales, asaltó por fin a su entrevistado, y la andanada de golpes bajos le llegó por sorpresa. Pero ni se inmutó, y tomó el envite como un convite. Lluís Grau utilizaba un latiguillo eficaz, que nunca había escuchado y que sonaba a contador de gas: "Lectura equivocada".

—¿Los centros de acogida viven de subvenciones por niño?

—Lectura equivocada. El convenio por centro en los CRAE es de ciento y pico euros por niño y día. El sistema es deficitario para la administración pública. Estamos faltos de recursos. No es un problema de querer mantener la demanda. Es un ejemplo de que las percepciones están afectadas por los sentimientos. Cuando las familias se relacionan con los servicios sociales, lo viven como una fuente de ayuda, son gente que les ayuda a encontrar trabajo y piso… La DTAIA es el 'enemigo' porque les quita a los niños. Las familias biológicas creen que se les ha perjudicado. Y no es fácil la relación.

Apagado el fuego inicial, Lluís dirigió sus pasos a las galanías de oro de los divisionarios de las altas esferas, y dio su parecer ante lo que a simple vista cabría pensar que era un desconcierto: "Un buen sistema de protección a la infancia ha de tener especial cuidado con el trato a las familias. No puede ser que se les haga sentir culpables. El primer objetivo que se ha de replantear la DTAIA cuando hace una propuesta de desamparo es tener claro que la propuesta es temporal y que la prioridad es que la familia se vuelva a unir. Que luego no puede ser, pues se buscan alternativas. Eso implica el trato con las familias. No puede ser que se crea que el enemigo es la administración. La saturación en el sistema promueve esto. Cuando los equipos están desbordados, el trato con las familias no es tan común".

El periodista, cuya lengua espingarda ya estaba seca, rumiaba la cuestión, y atacaba por los flancos, desandando el camino emprendido por su interlocutor. Lo había aprendido en *Reporteros de guerra,* de Jesús González Green.

—¿Dice que hay quejas de algunos monitores?

—De maltrato físico no tenemos constancia en los centros de menores. Los chicos toman a los educadores como referentes. Es el adulto que les ayuda y les apoya. Nos faltan centros especializados. Más de un 40% de los menores en centros visitan los Centros de Salud Mental Infantil y Juvenil (CSMIJ). En la infancia tutelada hay muchas visitas a psiquiátricos y los CSMIJ no dan abasto. En Cataluña sólo lo tienen el centro de menores de Can Ros, en Esparraguera (con programas para niños agresivos, etc.), en el que hay una lista de espera para entrar increíble. El déficit es alarmante y gravísimo.

—¿Y por qué no está de acuerdo con el informe del Defensor del Pueblo de España, Enrique Múgica?

—Va muy deprisa en sus declaraciones. En Cataluña visitaron tres centros, los únicos con celdas de aislamiento: Els Ametllers, Can Ros y El Papus. Las visitas duraron tres o cuatro horas, en las que recogieron las opiniones de algunos chicos... Me parece precipitado. El uso de las medidas de aislamiento no se puede evaluar en tres horas.

—Celdas de aislamiento...

—Son celdas de contención. Una habitación en la que no hay mobiliario con el que el niño se pueda autolesionar, y que tiene una ventana con rejas. El niño puede estar una hora en la celda como máximo, no un día entero. De aquí surge un debate abierto: ¿es la mejor medida? También podríamos interrogarnos sobre si el grado de medicación es excesivo. Yo creo que sí. Yo entiendo que si los centros tuviesen equipos profesionales terapéuticos, no habría tanta medicación. Mi percepción es que debido a la falta de personal, se sobremedica a los niños.

El punto 5.1 de las conclusiones del informe del Defensor del Pueblo de España, titulado "Centros de protección de

menores con trastornos de conducta y en situación de dificultad social", de 468 páginas, y de febrero del 2002, es revelador
por su sencilla descripción y por la trilla que hace para aparcar
los eufemismos y llamar las cosas por su nombre:

> Se emplean diferentes denominaciones para
> designar las 'salas de aislamiento', como "sala de
> agitación", "sala de reflexión", "sala de tiempo
> fuera", "salas de baja estimulación"... Algunas de
> ellas se ajustan a los requisitos recogidos en las
> declaraciones y normas sobre la materia. En
> cambio, otras tienen un reducido tamaño, las
> paredes están recubiertas de goma negra y care-
> cen de ventanas, lo que provoca una atmósfera
> asfixiante y un gran rechazo en los menores.

El penúltimo sábado de junio del 2004, a las nueve de la
noche, en la terraza del bar de camareros pakistaníes de la
Plaza Sin Nombre, pues de él nunca se acordaban [plaza de
Vicenç Martorell, en el distrito de Ciutat Vella], los dos periodistas, que se hacían llamar en broma *Comandantes,* ponían en
orden sus apuntes, deliberaban, proponían y bebían. Querían
seguir el rastro del dinero de las subvenciones, y encontrar
aquellos a quienes Daniel Santoro, el santa sanctorum de los
reporteros de investigación, denomina satíricamente como
"las viudas del poder": alguien que rajara y que compartiera
con ellos algo de su bilis.

Gustavo no se conformaba con las estructuras de poder,
que se rigen por intereses y que premian a sus condiscípulos.
La postura del Defensor del Poble Català había sido, a su
entender, muy tibia.

Gustavo.—O sea, el Defensor del Pueblo de España se
pasa porque se basa en declaraciones de unos pocos chavales.

Pero ¿es que sus testimonios no valen?

Volvió Jesús a la escuela de Mare de Déu del Mar, una pista que había seguido en los primeros días de junio y que, por ahora, resultaba realmente agotadora. A esta escuela concertada de Nou Barris, propiedad de las sabatinas de la Advenición, asistían los chavales de Els Tarongers. Aprovechó que el 11 de octubre del 2004 se canonizaba al Pare Oller, inspirador de la orden, para intentar poner un pie en el equipamiento y sacar alguna impresión de los chicos.

Después de varias llamadas, Meritxell, la directora, se dignó responder: "Sí, sí, me han llegado tus mensajes, pero lo he de consultar con las monjas".

Silere.

CAPÍTULO 6. Sigue el dinero

El 25 de junio del 2004, Gustavo consiguió entrevistarse con la prestigiosa especialista Petra Fonts. Era un caluroso sábado en el que se desplazó hasta Tarragona. Creyó que recorría 92 kilómetros para un encuentro de una hora como mucho. Tenía grandes expectativas, pero, en realidad, pocas esperanzas. Ella era miembro del Centre de la Infància i l'Adolescència. Había postergado la fecha fijada en abril para reunirse por primera vez con ella. Luego argumentó sus compromisos editoriales en el mes de mayo; en junio, una intervención quirúrgica…, hasta que finalmente coincidieron. Pensó que la insistencia causaría rechazo, como tantas veces les ocurre a los periodistas cuando se obsesionan con una buena historia. Esto ya les había pasado a los dos reporteros con otras fuentes. Pero Gustavo no estaba dispuesto a olvidarse tan fácilmente. De manera que mientras no recibiera una rotunda negativa como respuesta, cada mes se acordaría de ella y le escribiría. Así dio a entender que la investigación que realizaba con Jesús iba en serio. Hasta que el 15 de junio Petra le respondió con este correo electrónico:

> "Ya estoy restablecida. La verdad es que han sido unos días duros. Gracias por preocuparte. En fin, que ya estoy para lo que quieras, y me gustará colaborar contigo. ¿Cómo lo hacemos? ¿Nos vemos? ¿Vía mail? En fin, si vienes a Tarragona podemos vernos el día que quieras (más o menos); si es en Barcelona sólo voy los viernes, y no todos.
>
> Un abrazo, Petra Fonts"

Acordaron el día y la hora. Ciego de entusiasmo, Gustavo se dirigió a la estación de Sants el jueves 23 de junio para emprender el viaje. Cuando llegó a la ventanilla, se enteró de que en ciertos horarios algunos trenes habían suspendido su recorrido, debido al incendio que, esa semana, arrasó más de mil hectáreas en los alrededores de Tarragona. Los letales fuegos se llevaron la vida de cuatro bomberos. La única opción que tenía eran los costosos trenes de alta velocidad. No llevaba mucho dinero encima, así que aplazó la entrevista para el sábado. Pero ese día se dio cuenta de que la oferta dominante de los veloces convoyes no era una casualidad. En toda la mañana había cuatro trenes AVE y sólo dos regionales, cuyo billete costaba una cuarta parte. Bastante molesto, le hizo saber su opinión a la trabajadora de la estación.

—¡Esta es una oferta elitista! -soltó sin ningún escrúpulo.

Resignado, pero bastante cómodo en los asientos del novísimo tren, repasó la información más reciente con la que contaba: los presupuestos de los tres últimos años de la DTAIA. Estos no habían aumentado en proporción a la cantidad de menores que atendían. Apenas crecían por impulso de la inflación, antes que por una dotación extraordinaria de recursos. Incluso menos, pues del 2002 al 2004, el incremento acumulado del dinero era del 5,4%. Sólo la suma de los dos primeros años de inflación (5,7%) ya dejaba un saldo negativo. Mientras tanto, la inagotable virtud de los servicios sociales para estirar como una goma de mascar su capacidad de acogida había hecho que se pasara de 7.018, en el 2001, a 7.480 menores, en el 2003[10]. La certeza estadística es que había cada vez menos dinero para atender a la población de niños. En la estupidez periodística que a veces resulta por no tomar partido y cuestionarlo todo, Gustavo se dijo que tal vez todo eso eran matices estadísticos. Que tal vez era una tontería detenerse a pensar en ello, porque en los tiempos que corren los ricos son más ricos y los pobres, más pobres. Que a nadie le debía de importar la suerte de los huéspedes en los centros de menores, cuando tantas personas se estaban muriendo de hambre en las regiones proscritas del planeta. Que probablemente la culpa no era de los gobernantes de turno, que distribuyen con su vara mágica los recursos. Ni siquiera de los propios funcionarios de los servicios sociales, que, al fin y al cabo, se ganaban la vida como cualquier ciudadano. A lo mejor la culpa era de la falta de amor en un mundo deshumanizado, de esos padres desamparados de hijos desamparados, que alguna vez tuvieron abuelos desamparados. Entonces asomó por la ventanilla una estructura enorme y azul. Un puente faraónico construido para que el AVE discurriera apaciblemente entre valles y colinas. Para que avanzara sin obstáculos en su camino a la postmodernidad con velocidad 2.0. "Puentes valientes, serenos, ciclópeos y anchos de miras", escribió Jesús en un reportaje de marzo del 2002 para el diario *La Vanguardia,* cuando el vertiginoso transporte aún era un proyecto, y cuando el rotativo aún se resistía al tijeretazo de los recortes de plantilla. Jesús recordaba las lastimosas declaraciones de un cronista de la sección de Cultura: "Han prejubilado a algunos de los mejores, los más preparados, los puntales de cada sección".

Sólo el puente que atraviesa el río en Sant Boi de Llobregat costó 24 millones de euros. "Qué carajos. Para ciertas cosas siempre hay dinero." Gustavo cabeceó soñoliento. Todo le daba igual mientras viajaba en ese tren.

Cuando llegó a Tarragona llamó a Petra Fonts. Estaba ocupada con un paciente. Hubo de esperar tres cuartos de hora. Acudió al bar más cercano a la estación y se sentó a tomar un café. Pensó en las preguntas que le haría y revisó sus papeles.

Además de los presupuestos, tenía un reportaje de *El País*, publicado el 14 de julio del 2004. Trataba sobre la saturación de los centros, frente al escaso número de menores acogidos por familias profesionales especializadas en esta labor. Subrayó un fragmento, que sería el argumento recurrente en las dos horas que duraría la entrevista: "El punto de partida es la conciencia de que en España tenemos un intolerable nivel de institucionalización de la infancia y la adolescencia. Es una anomalía que sólo se soporta por la invisibilidad de estos menores". La afirmación pertenecía al catedrático de Cambridge y de Sevilla Jesús Palacios, según el diario, uno de los mayores expertos europeos en protección de menores.

Petra Fonts le recogió en su coche y fueron hasta su domicilio. Una señal de que habían llegado fue cuando Petra se percató: "Ahí está el profesor de música de mis hijos". Estacionó unos metros más adelante del vehículo del maestro, en una silenciosa calle bordeada de acacias japonesas. Las aceras estaban tapizadas de hojas amarillentas y todas las casas eran muy similares. Entraron, y les recibió en el portal su esposo, quien despedía al profesor. Se presentó, y mientras subían por las escaleras hacia su despacho, ella le enseñó un par de habitaciones. Llegaron al despacho, espacioso y cómodo. Tendría 25 metros cuadrados, donde además de la mesa con el ordenador, había un sofá y los estantes de libros que cubrían las paredes. Por la ventana entraba un gran chorro de luz. La psicóloga encendió el aire acondicionado y se sentó junto a Gustavo. En lugar de ocupar la silla dispuesta frente al ordenador, en el refugio del escritorio, se ubicó en una de las que normalmente se reservan para las visitas. La confianza para llevarle a casa sin apenas conocerlo, la familiaridad que adoptó, le sugirió a Gustavo que se trataba de una persona generosa. Y también que, hasta cierto punto, tenía interés por la materia. Gustavo expuso la información que traía, como el postre que lleva el invitado a la cena, para tomar asiento con su dulce credencial de agradecimiento. Ella no tardó mucho en responder, como si hubiera meditado durante muchas horas la raíz del problema.

—Gracias que existen los centros, porque son necesarios. Hace 60 años no había, así que a muchos niños les ha cambiado la vida. El problema es cuando se burocratizan, cuando los menores se convierten en un número.

Hasta el mismo periodista se vio sorprendido por estas afirmaciones. Un poco se sintió avergonzado sólo por ver números, montos, presupuestos y elucubrar hipótesis sobre la relación entre los euros y los niños. Le explicó que había muchos padres que justificaban la prolongada estancia en los centros, por el valor que cobraban a la Administración por cada menor. Cantidades diarias, de entre 100 y 200 euros, dependiendo del tipo de atención.

—Se aplican a rajatabla los protocolos, sin ver el detalle ni las diferencias de cada caso, sin un sentido humano. Así los trabajadores y funcionarios pueden defenderse con el argumento de "yo he aplicado el protocolo". Si haces algo diferente, entonces te acusan de no cumplir las reglas.

—**¿Por ejemplo?**

—Pues tenía el caso de cuatro menores que provenían de una familia desestructurada. Vivían con sus padres, pero en condiciones higiénicas no tan buenas. Se gastaban el dinero jugando al bingo, así que la asistenta social hizo su trabajo e ingresó a los niños. La madre recurrió a mí. El centro recibía por cada niño unos mil euros por mes. La cuestión es que esto cuesta más que poner una trabajadora en casa para que les ayude a cambiar de hábitos. Tranquilamente puede salir a mitad de precio. Hay que aplicar soluciones creativas.

—Con esta situación hay gente que se lucra, y muchos puestos de trabajo...

—Sí creo que influye el dinero, y algunos, si pueden, alargan la estancia por un tiempo adicional, una semana o un par de meses. Quizá más.

—¿Esto puede explicar la existencia de informes exagerados, como en el caso de Molly? En el juicio, la pediatra declaró que la llamaron hasta tres veces de un centro social, presionándola para que emitiera un informe desfavorable de la madre, hasta que ella pidió que ya no la llamaran más.

—La recuerdo perfectamente -Petra también declaró a favor de Molly en el juicio realizado el 27 de enero del 2004-. Es una mujer con mucho carácter, con los ovarios bien puestos. Pero más bien creo que si exageran en los informes, puede ser por casos como el de la niña Alba. "Si pongo al menor en el centro, entonces no me pasa nada. Si lo dejo con la madre, entonces puede estar en riesgo mi trabajo", pensarán los trabajadores.

Petra se refería a las agresiones que una niña sufrió de su padrastro, que le causaron un coma cuando tenía cinco años. En diciembre del 2003 los tribunales concluyeron que los continuos maltratos no pudieron evitarse debido a la desconexión entre los servicios sanitarios y sociales.

El dinero tenía obsesionado al periodista. Empujado por una inercia del oficio, que le llevaba a buscar una relación monetaria con los problemas más absurdos de la sociedad. Pero también por una cuestión de rigor. Si había que demostrar que la avaricia no tenía nada que ver con los periodos de estancia en los centros, tenía que poner a prueba esta idea. Tenía que machacarla hasta descubrir lo que hubiera dentro de la nuez. A ratos pensaba que sería mejor así, que fuera el dinero y no la desidia humana. De repente recordó el fragmento de un ensayo del psicólogo Enrique Martínez Reguera, fundador en Madrid de la Escuela sobre Marginación[11].

> "¿Cómo sacarle rentabilidad precisamente a los pobres? Sencillamente, suplantando su pobreza real por otra virtual, más aprovechable. Para ello han empleado diversos procedimientos. Procedimiento 1: hacer a los pobres casi invisibles, reducir su número y existencia real al número de plazas atendidas. Procedimiento 2: rodearles de mediadores que desvíen los recursos que les corresponden. Procedimiento 3: encubrir sus problemas carenciales con otros de diseño, virtuales, para confundirles y confundirnos sobre lo que realmente les está ocurriendo."

Con esto revoloteando en su mente, como las abejas en torno al panal, Gustavo volvió al motivo desde la perspectiva histórica:

—**También se dice que los centros son una herencia de los religiosos...** -insistió.

—Con ellos eran más humanos los centros. Estaba siempre la misma persona con los niños. De esta manera tenían un referente, era una relación más estrecha. Pero ahora es peor. Los educadores no aguantan más de un año. Además hay turnos y cambian de personal cada ocho horas.

—**Hay quien piensa que detrás de todo esto está la mano invisible del Sistema, la intención de esconder la pobreza.**

—Tuve el caso de una madre con esquizofrenia. Entonces cedió el amparo de su hijo a la abuela del padre, pese a que se había divorciado de éste. Si no hubiera tenido recursos o familia, seguramente el menor habría ido a un centro. Entonces me hago la siguiente pregunta: ¿si Michael Jackson hubiera sido pobre, dónde habrían ido a parar sus hijos?

—Pero ¿qué ocurre con esos informes que a veces no convencen a los jueces?

—Es lo mismo que cuando [José María] Aznar dijo: "Tenemos un problema y lo hemos solucionado". Se refería a un grupo de inmigrantes que habían llegado a las costas. Los envió de vuelta a África. Es lo mismo con los niños. Ya no tienes el problema. Si les metes en un centro, bien alimentados y limpios, ellos no lo agradecerán. Lo que necesitan es cariño. Ellos no se dan cuenta de si el centro está limpio y en condiciones. Requieren afecto. "¡Qué más quieren! Aquí comen mejor y están aseados", suelen decir los trabajadores.

A Gustavo le pareció de ingenuos hablar del amor, más allá de sus relaciones con otras mujeres. Se ruborizó. Le quedaba la duda. Ese oscuro espacio en la conciencia que nunca terminaría de entender. Pese a todo, aún tenía capacidad para creer en lo irracional. ¿Cómo enseñar el amor a las personas? ¿Todos los tipos de amor son igual de buenos? En cambio, Petra estaba convencida de todo cuanto decía. Decididamente, no estaba ensayando con el periodista. Eran cuestiones que ya le habían quitado el sueño, luego de haber atendido a Molly y a tantas otras madres.

—Mira esto, lo dice la Convención sobre los Derechos del Niño[12] -Petra saltó de su asiento que estaba junto a Gustavo, del mismo lado del escritorio, para dar la vuelta al mueble y ubicarse frente al ordenador. Lo tenía listo para mostrarlo al periodista o lo consultaba con frecuencia, porque lo encontró rápidamente-. Lo voy a imprimir para que te lleves una copia...

Mira, aquí lo dice claramente: "El niño, para el pleno y armo-
nioso desarrollo de su personalidad, debe crecer en el seno de
la familia, en un ambiente de felicidad, amor y comprensión".
En ningún lado pone que tiene derecho a ir limpio, disponer
de una cocina higiénica, etcétera. ¡Habla de estar con sus
padres! No de quitárselos cuando juegan al bingo o porque no
tienen recursos. En casos en los que hay amor, pero con necesidades económicas, sin duda estará mejor con su madre. Pero
si le pegan, eso es otra historia. Aquí mismo, en Tarragona,
hay un campamento gitano -alzó el brazo para señalar la dirección del campamento- donde cocinan con hoguera y viven en
casas rodantes. Esa situación hay que trabajarla, pero no qui-
tarles a los niños. Porque son felices.

—**¿El desamparo tendría que ser declarado mediante
una orden judicial? Porque actualmente no se hace...**

—Lo dice el apartado 1, del artículo 9 de la Convención[13]
-quedaba claro que la psicóloga tenía la Convención entera en
su cabeza-. Si es maltratado, debe ser retirado. Pero si está
sucio, puede que no lo note. Como mínimo, sería bueno que
los jueces sean quienes ordenen la retirada de la tutela. Al
menos así habría más ojos, para que haya más control en el
proceso.

—**¿Es posible pensar en un 'lobby' o grupos de presión, por parte de quienes gestionan los centros, para
conservar el poder de retirar la tutela?**

—Cuando la rueda funciona, el sistema de parámetros, la
sociedad, cree que funciona bien. Pero son parámetros materiales y no psicológicos -argumentó Petra.

—**¿Entonces es más difícil parar la rueda?**

—Si pudieras demostrar los daños psicológicos que esto
ocasiona... Pero ¿cómo lo demuestras? -preguntó Petra con

los ojos abiertos, sin esperar la respuesta-. Es muy difícil. Esto se llama *criterios de causalidad.*

—¿...?

—Imagínate a una abuela a quien acaban de atropellar, y resulta que tiene un hematoma desde hace seis meses. ¿Es o no a causa del accidente? Para la situación de los menores hace falta ser muy buen psicólogo. Con frecuencia me preguntan si un niño de seis años tiene miedo a dormir. ¿Cómo sé yo que está influenciado por lo que le ha ocurrido en el pasado? Es muy fácil. Le pido que recuerde las peores noches de su vida. De ahí vienen falsas dislexias, con problemas para leer y escribir bien. No le enseño a leer y escribir, sino a dormir mejor. Entonces aprende mejor. Pero otras veces no puedes demostrar la causalidad. Así que es muy difícil. La teoría genética, por ejemplo, puede decir que tienes predisposición a no tener miedo. Entonces resulta que eres un escalador. También un psicópata. Es una búsqueda de sensaciones la predisposición, pero es la educación y la experiencia la que determina quién eres.

Gustavo quedó impresionado por su explicación, y ella aprovechó el silencio para escabullirse por una puerta interior. El poder de las ideas sencillas surtía efecto en sus pensamientos, pero no en la maquinaria bien engrasada de los servicios sociales. Se necesitaba más que eso.

—Molly estuvo aquí hace 20 días. Su experiencia vital le ha pasado factura. Es fría, pero muy fuerte. Porque no ha vivido en un ambiente cariñoso y tiene miedo al abandono.

De pronto Gustavo pensó que la mujer kazaka podía haber estado sentada en su mismo asiento. Tantas veces la había llamado, escrito mensajes, sms y hasta recados mediante terceros sin respuesta, que se estremeció con la posibilidad de que fuera ella quien ahora estuviera siguiéndoles los pasos a los periodistas. ¿Una casualidad, el juego del ratón y el gato o, simplemente, la consulta con una experta en psicología infantil? Tuvo que morderse la lengua para no preguntarle más sobre ella, porque así lo habían acordado entre el reportero y la psicóloga. Más bien, así lo había exigido Molly a todas las personas que en algún momento le habían ayudado. En unos flancos cerraba el cerco, como con los de Singular-12, en otros lo dejaba abierto con sus visitas a Petra. Gustavo casi temblaba de ansiedad. La situación era muy fina. Por un lado, Petra sabía que había hurgado en el caso de Molly. Le había enviado los artículos de *Público* y le había explicado que le interesaba el tema de los centros en general. Aún así, ella insistió en un correo electrónico del 21 de abril:

> "Molly no quiere que se hable más del tema y al poco de devolverle a la niña nos envió un mail pidiendo que no se hablará más del caso. Ella ha intentado desaparecer para estar con su hija y recuperar el tiempo perdido."

Estaba claro que Petra Fonts tenía mucha más información de la que dejaba saber a Gustavo. De los centros, pero también sobre Molly. Alguien mencionó Murcia, el anterior refugio de la madre. Pero el periodista decidió no mostrar el hambre y disimuló con indiferencia su interés en conocer el paradero de la kazaka. Jesús y Gustavo habían dedicado algunas horas y cañas para decidir el destino de la forma que tendría el relato del reportaje que preparaban. Necesitaban una historia ideal para convertirse en el anzuelo narrativo de su investigación. En un principio debía ser el caso de Molly, así lo habían pactado cuando le plantearon a ella el proyecto. Hubo acuerdo, hasta que comenzaron los distanciamientos silenciosos y las llamadas sin respuesta. Y ahora Gustavo se encontraba ahí, en el despacho privado de la única persona vinculada al proceso judicial que permanecía en contacto con Molly. Petra había traído de la otra habitación un legajo de hojas con la Convención sobre los Derechos del Niño. Poco pensaba Gustavo en esto. Daba vueltas en su cabeza a la manera de seguir hablando de Molly. La psicóloga le leyó la mente e hizo un tímido intento:

—Su comportamiento está determinado por un miedo al abandono. Está escrito en *Los patitos feos,* de Boris Cyrulnik[14]. Mira, lo tengo aquí -puso la vista sobre la repisa de libros más cercana, a sus espaldas, de la que extrajo un ejemplar de *Soñar a pierna suelta.* Repasó las páginas rápidamente y subrayó una cita que correspondía al título de Cyrulnik. Luego fue en búsqueda del original. Se escabulló por la misma puerta que antes había atravesado para recoger la impresión. Un minuto después apareció con una fotocopia. Ahí podía leerse la interesante teoría del autor francés:

> "Este arte de amar poco les protege del sufrimiento de amar mucho. Sin embargo, la vida se vacía de su sabor, y sucede como con una amputación, que también preserva del mal. Ahora bien, nuestra urbanización planetaria, nuestras carreras sociales inestables, crean medios cambiantes y guarderías anómalas en las que todo se ve incesantemente trastornado."

—Somos humanos y necesitamos estar en comunidad -continuó Petra-. Ser más o menos inteligentes depende también del entorno social, maternizado, de tener una familia. Lo demostró Harold Skeels en un experimento realizado en 1938. Logró incrementar el cociente intelectual de niños desamparados, ingresándolos en centros para menores con retraso mental. Sólo porque ahí recibían el afecto de una disminuida que pasaba mucho tiempo con ellos.

—**El caso de Molly era económico...**

—Está claro que su hija quedó tocada por haber pasado los dos primeros años de su vida en un centro. Si el problema era económico, se la podía ayudar para que estuviera con su madre. ¿Por qué no le dieron una familia de acogida? Supuestamente era por maltrato por lo que declararon el desamparo, y por eso la sacaron de su entorno. Pero no reemplazaron el cariño ni la figura materna.

—**¿Soluciones creativas?**

—Cambiar de paradigma. En lugar de pagar asistentes en un centro, que vayan a casa de los padres. Cambiar más cariño por menos obsesión por la higiene o la alimentación. Esto no lo cumplen las instituciones.

—**¿En otros países cómo se resuelve esto?**

—En países como Alemania e Inglaterra hay gente que ha hecho un negocio con esto. Reciben uno, dos y más menores en casa, cobran por ello, pero al menos tienen un referente, una casa, un número de teléfono. Creo que en España y Cataluña las instituciones no saben que esto les podría ahorrar dinero. Hay que vender esta idea. Pero de momento, no se la creen. Creo que no están haciendo nada para mejorar. Con perdón de los gobernantes y los funcionarios.

La conversación se desvió hacia el trabajo que la psicóloga realizaba en el Centre de la Infància i l'Adolescència. Un cuestionario de 50 preguntas para conocer el cumplimiento de la Convención de los Derechos del Niño enviado a 50 instituciones. También charlaron sobre el proyecto de Ley de los Derechos de la Infancia y la Adolescencia. Al final, solicitó al periodista:

—Te pediré un favor: quiero que todas estas cosas se difundan. Necesito ideas. En la editorial me han dicho que mis libros se venden solos. Únicamente de *Soñar a pierna suelta* llevamos 75.000 ejemplares. Pero quiero que más personas los conozcan, porque hasta ahora tienen un público muy específico, como educadores, universidades, etcétera. Quiero que lleguen a los padres, a la gente normal. Hago cosas por mi cuenta, escribo artículos para revistas, pero quiero llegar a personas comunes.

A eso de las 16 h, Gustavo pidió que le llevaran a la estación de trenes. Nuevamente subió al coche de Petra y, después, al tren; esta vez, el más económico. Había quedado a las 20 h con Jesús, para encontrarse en el bar donde mataban sus amarguras periodísticas. Pero también donde renacían todos sus proyectos.

—Sigo preocupado por el alma de este trabajo. Hay buena información, pero falta el alma -dijo Gustavo, luego de hacer un resumen de la entrevista con Petra.

—El alma es Molly -contestó Jesús.

CAPÍTULO 7. De la información que no sale en Facebook

En el Café d'Annunzio de la Plaza Sin Nombre, entre las tónicas indias, los *pakis* que no entendían sus bromas y las guiris de California, tan monas y recatadas, siempre quedaba nuevamente tendido el hilo de este reportaje. Aquella terraza con las mesitas bajo los pórticos se había convertido en una especie de sala de redacción.

Mucho había pasado desde la última entrevista de Jesús con Molly, antes de que el Barça se alzara con el Triplete. Guardias de fin de semana en el diario *ADN,* subcontratado por la empresa de trabajo temporal (ETT) Adecco (una de tantas ETT's que se interponían entre patrono y trabajador: siempre que pasaba por delante de la puerta que daba a la avenida del Paral·lel de la comisaría de los Mossos d'Esquadra de plaza de Espanya, se identificaba con los *seguratas* de Prosegur que custodiaban la entrada). Le había dicho a Gustavo: "Aprendí de mis profesores que la prensa no sólo ha de ser un transmisor de datos, sino lo más importante, un medio de fiscalización del poder, el vigía que denuncie las malas prácticas sociales y que sea un servicio público".

El curro en *ADN* servía a Jesús para observar el mundo con la perspectiva de la locura hiperracional, hiperpsicótica, hiperextasiada, con el permiso de los *hípers* del Gilles Lipovetsky de *La pantalla global.* En Honduras, un golpe de Estado, que de encubierto sólo tenía la e, despojaba de su aval democrático a un presidente, Manuel Zelaya, elegido por el pueblo; en Irán, los reformadores se escondían detrás de sus miedos para que Alí Jamenei no les señalara con el dedo por contrarrevolucionarios; en la vecina Iraq, tantos muertos diarios en atentados suicidas que harían falta tres toneladas de papel para escribir sus testamentos...

Gustavo replicó que la desidia y la pereza estaban degenerando el oficio. Ambos habían mamado las mismas biblias, la biblioteca de obras de Gabriel García Márquez, cuyo ensayo "El mejor oficio del mundo" habían recibido como un manual ecuménico:

> "El trabajo [periodístico] llevaba consigo una amistad de grupo que inclusive dejaba poco margen para la vida privada. No existían las juntas de redacción institucionales, pero a las cinco de la tarde, sin convocatoria oficial, todo el personal de planta hacía una pausa de respiro en las tensiones del día y confluía a tomar el café en cualquier lugar de la redacción. Era una tertulia abierta donde se discutían en caliente los temas de cada sección y se le daban los toques finales a la edición de mañana. Los que no aprendían en aquellas cátedras ambulatorias y apasionadas de veinticuatro horas diarias, o los que se aburrían de tanto hablar de los mismo, era porque querían o creían ser periodistas, pero en realidad no lo eran."

Vuelto de Portugal, donde el periodista realizó un reportaje sobre la librería Lello, "la más bonita del mundo", según el escritor Enrique Vila-Matas, Jesús se marchó a Bosnia, cuyo campo de refugiados de Mihatovici sigue siendo una vergüenza que clama al cielo. De los nueve diarios nacionales a los que había enviado este último trabajo, agradeció la única contestación, de S., del *Magazine* de *El Mundo:* "Hola, gracias por la oferta, pero no nos interesa. No es el tipo de perfil de reportaje que estamos dando actualmente en el *Magazine*". Total, ya estaba al tanto de las presiones de la publicidad en muchos medios, que forzaban que las crónicas sobre los hambrientos de Sierra Leone se maquetaran en página par y, a ser posible, no contiguas a las inserciones de los bolsos Gucci y el maquillaje Margaret Astor.

Jesús repasó los últimos movimientos infructuosos sobre el *caso Molly*. Había dejado recado a los *consellers* de la oposición del distrito de Sant Andreu, a quienes había tratado en su etapa anterior como director de la revista local *L'informatiu de Sant Andreu,* un mensual enraizado en el vecindario. L., de CiN, no había contestado a la solicitud del reportero para que su formación política comentara su postura sobre el funcionamiento de los centros de menores en Cataluña. El máximo jefe del Partido de la Alianza (PA) en el territorio, P., un tipo muy majo, entregado con la convicción de los granaderos de San Martín a servir al pueblo de la mejor manera que sabe, le hizo reír con su respuesta. Se disculpó del retardo por una causa que Jesús no recuerda pero que se asemejaba a la urgencia perentoria de una insuficiencia renal. La cuestión es que les facilitó las direcciones de los centros penitenciarios para jóvenes, dando a entender —una equivocación, se supone— que los inveterados chavales que ingresaban en los centros tutelados eran poco menos que delincuentes.

"No conozco a ningún compañero que trabaje en centros de menores. Lo que sí puedo darte son las direcciones y correos de cuatro sindicatos de prisiones por si queréis poneros en contacto con ellos. Otra opción es ponerse en contacto con el Departament de Justícia, Secretaria de Serveis Penitenciaris, Rehabilitació i Justícia Juvenil. Lo digo para solicitar permiso con el que entrar a grabar en los centros y hablar con el personal y los internos."

Si no podían contar con el bicornio CiN-PA, probarían con otras *líneas de investigación,* fatídica expresión desde que saliera de los labios de Ángel Acebes, el *alter ego* de José María Aznar, en las horas que se sucedieron tras los atentados del 11-M en Madrid.

La fotógrafa S,. de la Universitat Ramon Llull, quien despuntó en la guerra de los Balcanes, y a quien Jesús conoció fugazmente en una serie de coloquios en el Espai Cultural Caja Madrid sobre la imagen como mecanismo de compromiso, le había pasado el mail de Felip Scalfari, uno de los mejores periodistas de investigación de España; en su día había entrevistado a los cabecillas de los comandos itinerantes de la banda terrorista ETA, algo que hoy sería completamente imposible, antipatriótico y cuestionado por los propios jefes de redacción de los diarios-elefante, más preocupados por ofrecer el ajuar completo los fines de semana ("Consigue con *AS* el juego de cuchillos del Real Madrid"). No había manera de entablar conversación con Felip Scalfari, a quien se dirigieron con la intención de recibir algún consejo sobre qué rumbo tomar, como los que Lord Chesterfield daba a su hijo.

Jesús quería poner en práctica su Teoría de los Círculos Concéntricos, inspirada en la lectura de *Gomorra,* de Roberto Saviano. La teoría, a la que le había dado cuerpo, se basaba en el uso de la agenda personal del periodista, si es que alguna vez hubo una agenda bis. Es decir, las fuentes de información comenzaban por el círculo de amistades más reducido. Al igual que opinaba el escritor John Carlin —de cuyo *bestseller El factor humano,* el retrato de Nelson Mandela, se estrenaba la película *Invictus*—, cada escalera de vecinos tenía que contar con su corresponsal y con su re-*portero*. De esta manera, pretendía huir de las fuentes preestablecidas como método, como la bienintencionada Guía de Expertos de la Universidad de Barcelona para los medios de comunicación:

> "La unidad de Comunicación de la Universidad de Barcelona ha iniciado el proceso de reedición de la Guía de Expertos, un manual que se elabora con la finalidad de facilitar un contacto entre los profesionales de los medios de comunicación y los profesores de la Universidad de Barcelona y de su grupo."

Precisamente, por esos días, John Carlin publicó en *El País* un artículo sobre la inestabilidad que pesaba sobre los medios tradicionales. Jesús se había desahogado con él: "Mi crítica es contra los nuevos directivos, los Esades *(Marqueses d'Esades,* como he escuchado a Agustí Pascual, uno de los mejores críticos de *La Vanguardia)*. [...] ¿Dónde está la calidad de la prensa? ¿Realmente vale 1,20 euros el diario? ¿Me da algo diferente de lo que puedo encontrar en Google (salvo honrosas excepciones)?".

Así fue como Tobías., un compañero de la infancia que curraba en la construcción y en las chapuzas a domicilio, un oficio indispensable si se desea cambiar de cocina, se ofreció a ayudarle. La intelección con mono de obra. Una amiga de una amiga de Luz, la mujer con quien Tobías había contraído matrimonio recientemente, era una trabajadora social con experiencia en el mundo de la infancia. Su opinión podía serles de utilidad para esclarecer el lado oscuro de un campo minado que se mostraba esquivo, y sobre el que la gran mayoría reconocía errores de bulto y de concepción aunque nadie se atreviera a denunciarlos. La amiga, por no se sabe bien qué motivo, se arrepintió y se los quitó de encima.

Por otro lado, a Jesús le continuaba intrigando algo que sólo había visto en la película *Brubaker:* las 'celdas de aislamiento'. Que el Defensor del Poble Català justificara la existencia de estas habitaciones en las que se encerraba a los chicos malos, le hacía hervir la sangre. Contactó con Amperio Voltio, del Departament de Reacció Social, para solicitar el permiso correspondiente con el que acceder a uno de los tres centros que disponía de celdas, según el diálogo mantenido con Lluís Grau: Els Ametllers, Can Ros y El Papus.

La anomia del silencio administrativo es una respuesta. Permiso denegado.

Asimismo, Jesús quería conocer los procesos de adopciones, puesto que a veces se producían en los centros de menores (la parte positiva). Necesitaba una pareja que estuviera a punto de adoptar y que tuviera el suficiente poder adquisitivo como para que dijera a menudo esta frase: "El dinero no da la felicidad". Se remitió a David Goldenberg, un abogado de la zona alta, quien le pondría en comunicación con C., un hombre que hacía tres años que había adoptado a una niña etíope.

Quedó con C. el viernes 10 de julio, enfrente de la estación de Fontana. Jesús llegó con el tiempo justo. Cuando el vagón paró en la estación de metro, Jesús marcó con un apóstrofo la ese de París de *El filo de la navaja,* de W. Somerset Maugham, el libro que estaba leyendo por recomendación de Gabriel García Márquez; lo menciona en sus memorias *Vivir para contarla.*

> "En todas las ciudades populosas hay grupos aislados que existen sin mutuo contacto, pequeños mundos dentro de uno mayor que guía sus vidas, y cuyos miembros dependen entre sí, cual si habitaran en islas separadas las unas de las otras por infranqueables estrechos. En ninguna

ciudad de cuantas conozco es esto más verdad que en París."

Había pisado sin querer a una señora mayor que bajaba al andén a paso de tortuga, y había atravesado la muralla humana de un grupo de japonesas que sonreían con cada aviso de "perdonin les molèsties, el servei de metro es veurà interromput...". Más veloz que las escaleras mecánicas, que se hundían en los subterráneos de Gràcia, y con más avidez que los carteristas que ejercían su oficio sin guantes, salió a la superficie de la estación martilleado por el aviso del teléfono móvil, que le indicaba "batería baja".

C. estaba enfrente de él, desenvuelto, de tez parda y con aspecto de coronel del ejército, con una camiseta de rayas rojas y la imperturbabilidad de un capitán de fragata que sosiega a la tripulación capaz de amotinarse.

La presentación, formal, distendida, protocolaria. Caminaron unos metros y entraron en un local poco concurrido y con los vídeos musicales de la MTV amortiguados por unos cojines carmesíes que convertían los asientos en unos lujosos canapés.

C. pidió una cerveza y Jesús una tónica con limón. El periodista fue directo al grano. Le contó el caso de Molly, el nombre en clave de la kazaka para proteger su identidad (en honor de la dublinesa Molly Malone, a cuya estatua el periodista saludó en su visita a Irlanda con motivo de la boda de uno de sus mejores colegas, el Escu). Le interrogó sobre si había escuchado alguna vez, en algún baturrillo de padres, en alguna tertulia de descansillo, alguna anomalía o alguna conducta imprudente que le hiciera levantar sospechas.

—El tema del seguimiento de los menores y los exámenes psicotécnicos no los hace la Generalitat, de quien nos desentendemos, sino las propias Ecai's (Entidades Colaboradoras de Adopciones Internacionales), que cuentan con un servicio para tramitar los informes anuales.

El reportero le agradeció que contara su caso particular, para situarse en lo que había de ser la crónica costumbrista del inspector Lestrade, de Scotland Yard.

—Hubo una época en la que conocía a mucha gente que adoptaba. La adopción depende mucho del país. El país que mi pareja y yo escogimos de entrada fue Brasil porque el papeleo parecía que era más o menos rápido. Todas las Ecai's consultadas, cuando les decíamos que solicitábamos un niño de hasta cinco años, y no un bebé menor de un año, nos decían que sería fácil y rápido, porque siempre hay niños disponibles de estas edades. Entonces entramos en foros de adopciones en Internet y chateamos con gente que había tenido muchos problemas de adopciones en Brasil, a quienes se les daban largas con la excusa de que Brasil es "folclórico" y que la administración y la burocracia va muy lenta. Si a eso —si fuera verdad— le sumamos que las Ecai's tampoco se espabilan mucho, pues nos defraudó. En 1999 nos ofrecieron la posibilidad de un niño o una niña de Brasil, pero, al final, nada. Entonces fuimos a la Generalitat, a l'Oficina de l'Adopció, que depende de Reacció Social, y decidimos probar, a la vez, con otro país y con otra Ecai. Las Ecai's son gabinetes de abogados especializados en adopciones. Son entidades privadas, y cada una es un mundo.

Refiriéndose a Molly, Jesús intentó averiguar qué ocurría con las adopciones de niños procedentes de exrepúblicas soviéticas.

—He conocido tres casos de padres que han adoptado niños de exrepúblicas socialistas soviéticas y en todos los niños han desarrollado hiperactividad. Yo tengo relación con una compañera que adoptó primero en Nepal y luego en China. El niño, de Nepal, tenía cinco años, y la niña, de China, tenía 14 meses. La integración del niño, de cinco años, fue más fácil que la de la niña.

Jesús le pidió su opinión sobre los procesos y el marco de actuación para adoptar a un niño euroasiático.

—Cuando hicimos la "idoneidad" (estudio que realiza la comisión de tutela) con los psicólogos, te pasaban vídeos para conocer la realidad de algunos países con sus orfelinatos. Entonces, como ejemplo negativo, te mostraban imágenes de orfelinatos militares rumanos, y la manera en la que estaba filmado el vídeo era tendenciosa, con 20 lavabos en fila, ordenados hasta los cepillos de dientes… Deplorable. Y como ejemplo positivo te mostraban Etiopía, con niños felices, que saltaban y bailaban. En 1998 aún no había Ecai de Etiopía en Cataluña. Lo que nos pedían era que no nos obsesionáramos con niños blancos, que no miráramos su color.

C., como el Séneca de *La brevedad de la vida,* se concentró en narrar los hechos que le concernían sobre la adopción de su hija etíope.

—Entonces, en 1999, solicitamos Etiopía porque su Ecai, que se abrió en Cataluña en 1998, trabajaba muy bien, con procesos claros, transparentes… En la charla informativa, la Ecai tenía colgadas las fotografías de cada niño que traían, y cuando mi mujer y yo entramos en la sede, ya no les cabían las fotos en la pared; deben de ser 400 los niños cuyos expedientes han tramitado. La Generalitat no nos puso pegas para esta adopción. En el fondo, sabían que la Ecai de Brasil no funcionaba. Formalmente, el nuevo expediente lo abrimos en paralelo con el de Brasil. Firmamos con Etiopía en el verano de 1999. A principios del 2000 nos avisaron de la Ecai de Etiopía y nos dijeron que estaban a punto. Al cabo de un año, en el verano del 2001, la cola que se formó en la Ecai de Etiopía era brutal. Funcionaban bien. En Gràcia verás cantidad de niños etíopes. Sí. En octubre nos asignaron a una niña, a punto de cumplir seis años, por lo tanto, se adaptaba a nuestro perfil inicial. La cosas fueron muy rápidas. Un niño no es un queso que se compre; no podíamos elegir. Era ella y punto. Nos hicimos a la idea y ya está. El proceso era muy transparente, aprovechando también las leyes de Etiopía. En octubre del 2001 nos avisaron, nos enseñaron la foto de la niña, nos dijeron su nombre. Si dábamos el visto bueno, el juicio para obtener su custodia se haría por poderes y no haría falta que viajáramos. Eso está bien, porque en países con mucha corrupción, los funcionarios se aprovechan y te sacan dinero. En Brasil, por ejemplo, debía estar dos meses en el país, pero en Etiopía, sólo dos semanas. Es bueno que se vaya al país porque, si no, te da la sensación de comprar por catálogo. A Rusia, durante muchos años, debías hacer entre dos y tres viajes...

C. pidió otra Voll Damm al camarero, que practicaba a su manera el baile de la cuerda de Shakira, una imagen impactante que con mucho esfuerzo Jesús podrá olvidar.

—En Etiopía la Ecai tiene un representante que va por ti al juicio. Nosotros viajamos allí en diciembre del 2001. Estuvimos 10 días en Etiopía. Hicimos los trámites: pasaporte del menor y el visado de Schengen, que tarda una semana, y que tiene validez de un año. Una vez en España, has de solicitar la reagrupación familiar. El juez de registro civil inscribe al menor, y hay una visita forense para determinar el sexo y la edad del niño. En el momento en el que firmamos con Etiopía, en el momento en el que se nos ofreció la niña etíope, renunciamos a la adopción de Brasil.

Jesús salió pensativo de su encuentro con C. Se despidió con un apretón de manos sincero, y el periodista le deseó suerte como padre, un camino tan pedregoso como lleno de satisfacciones. C., antes de irse, se encandiló enumerando las cualidades de su niña, cuyo nombre no se revelará: "Es una muchacha con mucho mucho mucho genio, y muy guapa".

*

A esta mujer Jesús la había intentado localizar en la Universitat Pompeu Fabra, de cuyo Programa en Políticas Públicas y Sociales había sido investigadora. La telefonista hizo un buen servicio, y después de asegurarle que por su cuenta haría las indagaciones pertinentes, le llamó para proporcionarle el contacto, el bueno.

Esta mujer es Alejandra Quiroz (en un principio, quiso identificarse sólo como A., por esta frase que le salió sin ganas: "Yo no represento al Defensor del Poble Català". Unos días después de que se reunieran, ella reflexionó: "Quería decirte que no es necesario que hagas anónima mi intervención. Pon mi nombre tranquilamente. Puedes poner que soy experta en servicios sociales").

Alejandra Quiroz fue una de las personas contratadas por el Defensor del Poble Català para la elaboración de su estudio sobre el estado de los centros de menores en Cataluña.

Meses atrás, Jesús le envió un mail, y la pilló en Estados Unidos. En el campus de la Universidad de Princeton llevaba un año viviendo, donde ampliaba sus estudios de antropología y de administración pública. A la vuelta, accedió a verle. La única condición que le puso es que la hora en la que quedaran, nuevamente enfrente de la estación de metro de Fontana, en el barrio de Gràcia, fuera una hora decente; no por ella, sino por su hijo, que con dos añitos buscaba ansioso a su madre como una perdiz sus huevos.

El metro. El punto de lectura en la página 298 de *Lluvia negra*, de Masuji Ibuse, sobre los efectos de la bomba de Hiroshima en una familia de clase media que desea casar a su hija... Pero Yasuko vomita, se le cae el pelo, se encuentra muy débil.

"Me dice que, ayer por la noche de madrugada, una enfermera encontró durante su ronda a Yasuko arrodillada en el suelo de madera, apoyada contra la cama y sollozando. Al preguntarle qué le pasaba, dijo que no podía soportar el picor que sentía en el lugar donde tenía el absceso."

Jesús había pisado sin querer a otra señora mayor que bajaba al andén a paso de cebra y había atravesado la muralla humana de un grupo de holandesas que sonreían con cada aviso de "perdonin les molèsties, el servei de metro es veurà interromput...". Más veloz que las escaleras mecánicas, que se hundían en los subterráneos de Gràcia, y con más avidez que los carteristas que ejercían su oficio con total impunidad, salió a la superficie de la estación martilleado por el aviso del teléfono móvil, que ya se había muerto.

En Il Caffè di Roma de Gran de Gràcia, el miércoles 22 de julio del 2004, a las siete y media de la tarde, trataron durante media hora de reloj las particularidades de la DTAIA. Antes de que le permitiera sacar la grabadora, le dejó meridianamente claro que lo que dijera lo diría a título personal, porque su trabajo iba por un lado y ella, al parecer, por otro.

Su tía, mientras tanto, en otra mesa, entretenía al peque con un abanico de astillas valencianas. Jesús tomó una tónica. Alejandra tomó un cortado.

—Hay mucha carencia sobre los tipos de datos que se publican acerca de los centros de menores en Cataluña. Lo que hice para el Defensor del Poble Català fue una relación de indicadores, un informe sobre los centros de menores, que describiera y cuantificara la situación de la protección a la infancia en Cataluña.

—Y **¿cuál es tu opinión al respecto?**

—No lo tengo claro, no lo tengo claro. Por un lado, es absolutamente cierto, y sería injusto no decirlo, que el esfuerzo económico ha mejorado una barbaridad respecto a los gobiernos de Confederació i Nació. Esto es verdad. Por otro lado, creo que el sistema de protección necesita una reorganización, y a lo mejor esto no se está haciendo.

—**¿En qué sentido?**

—Yo creo, y esa es mi intuición, que el sistema de protección a la infancia debería ser discutido. Son muy discutibles sus acciones. Creo que muchas veces el sistema mismo está centrado más en la gestión de las infraestructuras que en dar atención a los menores.

—**¿El menor no es protagonista?**

—Se supone que debería serlo, pero creo que no es del todo así. Gran parte del tiempo lo que la DTAIA hace es gestionar equipamientos y convenios. La atención a la infancia y a la adolescencia, entendida como los niños y los adolescentes, no debería perderse de vista. Por otra parte, los equipos de atención a la infancia van a tope, con mucha carga de trabajo. Y estos equipos están saturados.

—**La inversión presupuestaria, por lo tanto, no es tal, si es que los centros están saturados...**

—El diseño del sistema de protección de menores tiene un umbral muy sensible. Antes y ahora, con la sospecha probada de maltrato la primera medida es intervenir, una herramienta susceptible. Se actúa y, supuestamente, el sistema actúa antes de que pase nada, algo positivo. Ahora, es interesante remarcar que muchas veces alguien... [Alejandra abre largos intervalos de tiempo en los que no dice nada y recapacita, como si pensara dos veces lo que fuera a decir para no equivocarse. Da la sensación de que sabe mucho más de lo que cuenta, y que calla algo que si trascendiera, echaría por tierra la credibilidad de la Administración.] La inversión en la primerísima instancia, es decir, cuando los menores aún no han salido del núcleo familiar, es mínima. El gasto es de 1.000 euros al año por menor, mientras que en un centro residencial privado son 30.000 euros al año por menor. La DTAIA paga a los centros de menores 109 euros al día por niño.

—**¿Se ha de pagar más por niño?**

—Depende, ¿con qué lo medimos?

—**¿Hasta qué punto esto es un negocio?**

—Yo me preguntaría si en todos estos años la Federación de Entidades de Atención y Educación a la Infancia y a la Adolescencia, la patronal, ha hecho alguna vez alguna mención sobre la sobreocupación de los centros. Hay de todo en el mundo de las residencias y, a veces, muy buena voluntad. En Vallcarca hay un piso tutelado en el que residen los chavales que llegan a la mayoría de edad, y me consta que se lo curran mucho.

—**Pero están sobreocupados...**

—Pero no todos y no todo el año; algunos. Sistemáticamente están sobreocupados algunos centros. Puedes consultar el informe del Defensor del Poble Català para verlo.

—**Pero se trabaja mal...**

—Yo no trabajo en la DTAIA, yo no tengo la responsabilidad y, a veces, es más fácil señalar lo que no se hace bien que hacerlo mejor. La responsabilidad de esta institución es enorme.

—¿Transformarla porque el maltrato existe?

—Sí, es una evidencia. Hay niños a quienes se maltrata. Las pruebas están ahí. Todos recordamos a Alba, y esto es algo que no se puede minimizar. Pero tengo la impresión de que a veces se prueba durante poco tiempo que estén con la familia, o que se pone en marcha la ayuda eficaz demasiado tarde. No se dan los medios, quizá…Hay una cosa que no tiene arreglo: hay pocas políticas sociales para ayudar a las familias. Las herramientas son complicadas.

—¿Visitaste los centros para elaborar tu informe?

—No quise… Estaba embarazada. Lo que hice, sistemáticamente, fue analizarlos con papeles en la mano. Yo no visité un centro, sino el lugar donde los niños tutelados se reúnen con sus familias biológicas para las visitas.

—¿Qué sensación te causó?

—Es el lugar más triste del mundo, el lugar más triste del mundo.

—¿Se retira la patria potestad a los padres por que sean pobres?

—Esto no es *Oliver Twist*, las cosas no son así, no se puede simplificar. Los trabajadores sociales se lo curran muchísimo, muchísimo, muchísimo. Se hace un seguimiento a los niños. Podría hacerse mejor, pero se hace con las garantías que hay. ¿Por qué no hay niños de clase media ni ricos en los centros de acogida ni en los tutelados? La pobreza no es la causa, pero está siempre ahí.

—Pero el Defensor del Poble justifica las celdas de aislamiento...

—Mi opinión personal es que me parece inadmisible, inadmisible, inadmisible. No lo sabía, no conocía esa declaración. No era mi tarea hacer el trabajo cualitativo, así que no quise entrar en los centros, estaba embarazada y estaba muy susceptible. Los niños no tienen la culpa de nada, aunque algunos sean conflictivos. Me hierve la sangre, no lo tolero. Y comprendo que no se sepa qué hacer. Lo considero un fallo del sistema, un error de todos nosotros, los adultos, quiero decir.

A principios de junio, el último párrafo del teletipo de EFE sobre la presentación del informe del Defensor del Poble Català decía así: "El Defensor ha elaborado este informe a partir del trabajo de la profesora de la Universidad Pompeu Fabra Alejandra Quiroz, una encuesta realizada entre diferentes sistemas de protección, un análisis de las quejas y actuaciones de oficio y numerosas visitas a centros y entrevistas con equipos de profesionales".

—¿Qué harías si fueras presidenta de la Generalitat?

—No lo sé, apostar por las familias. En los centros tutelados, el porcentaje es el mismo: por cada mil habitantes, seis niños son tutelados.

—El gasto no es considerable viendo los porcentajes...

—Las tablas están ahí. El gasto en tutelas ha crecido, pero sólo se ha ajustado, no se ha superado.

—Todo lo contrario de lo que se jacta en demostrar la Administración.

—Son niños que se quedan fuera de todo. Los niños tutelados, los hijos de la Generalitat, no tendrían que tener menos oportunidades que el resto de niños de Cataluña, y me temo que es así. Menos oportunidades en la infancia son menos oportunidades en el futuro.

—**Tu opinión no es muy esperanzadora.**

—Creo que queda muchísimo por hacer.

—**Para empezar, rebajar la satisfacción de las instituciones.**

—En materia de infancia tutelada, nadie puede ponerse medallas. Si me mostraran una evidencia empírica, estadística, sobre los logros en la vida inmediata (estudios completos, etcétera) de estos chicos, para demostrar que no varía mucho de la media, entonces podríamos decir que estamos bien. Ahora no sabemos qué hay.

*

A mediados de agosto, Jesús volvió a la carga con su colega del barrio, Tobías, quien le invitó a comer a su casa en El Polvorín, con los lítotes de su cortesía: "No te vas a negar...". En las fiestas de San Cristóbal del barrio de la SEAT, en los pisos de Núria, coincidió con la pareja y les volvió a insistir para que se pusieran en contacto con aquella chica amiga de un amigo de… Luz lo tuvo en cuenta. Un sms, a mediados de agosto, les espabiló: "Hola, dile a Luz cuando puedas que me pase el contacto de su *colegui* para el repor".

Lo que le pasó fue la dirección electrónica (no hay local social) de un colectivo singular: DARI, una asociación de "investigación y acción por los derechos del menor" de personas que trabajan en los centros de menores —algunos también en la DTAIA— y que no pueden revelar su nombre.

El educador social Víctor Dalmau, uno de sus miembros, dirige la asociación, o al menos hace las funciones de coordinador. Él respondió el mail: "En el colectivo DARI tratamos exclusivamente sobre menores no acompañados, es decir, personas menores de 18 años, extranjeras, que se encuentran en nuestro país sin la compañía responsable de una persona adulta. Somos un colectivo de participación ciudadana, plural, interdisciplinario y asambleario. Nos llamamos así porque la situación de los niños, adolescentes y jóvenes marroquíes en situación de riesgo y no acompañados son el grupo humano que más nos preocupa y que nos ocupa actualmente. Y también porque el colectivo busca que estos jóvenes participen activamente en igualdad de condiciones. La Investigación Acción Participativa es la metodología que hemos escogido para desarrollar nuestra tarea y nuestros proyectos. Porque creemos en el protagonismo y en la participación infantil y juvenil, y porque queremos que nuestro trabajo tenga una aplicación concreta que contribuya a mejorar la situación. Los Derechos del Niño es la norma legal básica que nos ampara, que defendemos y que queremos promover en la sociedad en general y, específicamente, entre niños y jóvenes, los profesionales implicados en la situación y las administraciones públicas con responsabilidades".

Según el artículo 2.10 de los Estatutos de la entidad, uno de sus fines y objetivos es el de velar por los derechos de los niños: "Denunciar activamente la vulneración, conculcación y violación de los Derechos del Niño, así como el incumplimiento de las legislaciones de atención y protección específicas por parte de las administraciones públicas y de otros".

Jesús y Gustavo necesitaban un educador social que conociera a fondo los centros de menores, y dieron en el clavo.

Víctor Dalmau quedó con Jesús para tomar una cerveza en El Jardí, un lugar "fresquito y alucinante" del Passeig de Sant Antoni, en Sants. La conversación serviría para denunciar el mundo "cerradísimo y opaquísimo, además de sucio" de los centros de menores en Cataluña.

Jesús, a día de hoy, aún se está reponiendo de la charla, que duró un par de horas, en las que Víctor puso sobre la mesa toda "la basura" que rodea la DTAIA, podrida, según él, en su seno. Dos términos de una dureza extrema definirían el encuentro: perversión y prevaricación.

"¿Sabes lo que es *prevaricación?* Te lo voy a decir: un delito consistente en que la propia administración dicte a sabiendas una resolución injusta, es decir, que no haga cumplir la ley y la vulnere."

Dolido por los 10 años de dedicación a los "niños de la calle" en los que se ha tropezado con la "absurdidad" del funcionariado de la DTAIA ("por carácter siempre he sido ingenuo, he creído en la democracia y en el bien común, pero me han hecho cambiar"), consternado, por segundos casi perdía la compostura, con una olla a presión en el estómago. Víctor trabaja en el casal Fundació Ateneu Sant Pau, en Badalona, pero tiene experiencias más que suficientes, por el trato con chavales, sobre la realidad de los centros de menores. Es tal su furia desatada que da la sensación de que se va a levantar del asiento en la terraza de ese lugar tan fresquito y que va a repartir mamporros a quien se ponga por delante. Insulta a los poderes, a los cuales se niega a ponerles rostro. El valor de sus afirmaciones es imponderable, y es precisamente todo lo que los periodistas habían intuido a lo largo de su investigación plagada de medias verdades, apagones bruscos de voz y calladas innecesarias.

Víctor Dalmau no le temía a nada. Escupía su asco como las amarras soltaba el Capitán Cook. Se mordía las uñas. Vestido con una especie de *hakama,* un traje de cuerpo entero japonés, estilo taekwondo, como un ninja, chupado, calvo, ofendido, miraba para otro lado con desprecio. Lo que ha experimentado no es que le haya hecho daño, es que le ha marcado como si fuera una res de Jandilla. La entrevista, íntegra, grabada, no tiene desperdicio.

—¿Qué pasa con este mundo tan oscuro?

—Es un tema delicadísimo el de los derechos de la infancia. Y hemos de criticar la Administración pública por su trato, tan sucio, sucio, sucio…, y es una manera llana de decirlo, porque lo que hacen es ilegal.

—¿Ilegal? ¿En qué os basáis?

—Lo que destaco es una falta absoluta de criterios. De entender, para empezar, qué es *un niño.* El concepto de "niño" la DTAIA no lo tiene claro. En Latinoamérica, este significado es muy político. Los niños son personas con derechos. Son sujetos de derecho y pueden actuar.

—¿Cómo se entiende aquí al "niño"?

—En Cataluña, la DTAIA trata al niño como a alguien a quien cuidar o *descuidar,* pero no como a un ciudadano, no como a una persona. Al niño no sólo se le ha de adorar y llevarle al cole, sino que también se ha de atender su opinión. Esto por un lado. Si partimos de aquí, todo viene rodado. ¿Cuándo quitar un niño a su familia? Yo me he encontrado con familias de todo tipo: hay familias gitanas, familias eternamente pobres, muy pobres, de generaciones con ayudas sociales, con problemas de cárcel y de delincuencia y con toxicomanías, a las cuales la DTAIA no se atreve a retirar los niños por el *merder* que montarán. Me he encontrado con madres solteras, tanto catalanas como extranjeras, a quienes por pura pobreza les han retirado el niño. Comparas los dos expedientes y mientras en un caso el hecho de que duerma el niño con la madre es sobreprotección, en otro se considera una cosa normal. En un caso dejar a la niña no sé cuántas horas con la yaya es descuidarla, mientras que en otro caso es que cuenta con una red social adecuada. Detalles como el zumo de naranja... Si una madre cuela a su niño el zumo de naranja es sobreprotección, mientras que en otro caso no es una obsesión, sino que al niño, de esta manera, se le fortalece porque toma vitaminas.

—¿Cómo se puede llegar a esta situación?

—Existe una falta absoluta de criterios, que no están claros. Los trabajadores de la DTAIA, cuya estructura es piramidal, obedecen directrices, que van de arriba abajo, no de abajo arriba. [Con las dos manos juntas, tocándose la yema de los dedos, Víctor forma una pirámide para mostrar mejor su ejemplo.] En horizontal, no hay coordinación, por mucho que digan, y no sólo no hay coordinación sino que en algunos casos muy concretos la coordinación está prohibida. Por ejemplo, en nuestra especialidad, los niños no acompañados, los niños solos, los chavales entran por vía policial (es la única vía permitida) a dos centros ilegales. De noche duermen en una nave industrial habilitada como albergue, con sólo media hora para que se duchen todos, y donde a las ocho de la mañana les ponen de patitas en la calle. Es el Alcor, conocido como el Albergue, en Poble Nou. De día les llevan a El Encino, en Vallvidrera. En el centro de día El Encino (como en el Albergue) hay pocos educadores y muchos vigilantes. De ahí la descoordinación entre los equipos educativos (noche, día y calle). El niño, además de la DTAIA, que es la que manda, recibe instrucciones de varios equipos de educadores, que lían su vida, ya de por sí complicada. Y los educadores no se pueden coordinar. Los chicos sufren angustia, estrés, etcétera, y los educadores no se pueden poner en contacto entre ellos para intercambiarse información sobre los chavales.

—¿**Hay sobremedicación?**

—Muchísima. Se habla mucho de justicia juvenil, pero no existe.

—**Y un aumento de vigilancia privada en los centros.**

—Se ha privatizado la infancia. Ha crecido la vigilancia, algo completamente inadecuado, y se han creado poquísimas plazas. Yo comencé en el mundo de la infancia por una delegación del Consejo de Europa que me pedía informes sobre los niños de la calle. El mundo mediático, de manera morbosa, hace 10 años, sacó a luz pública la realidad del tema. En aquella época, en 1994, la DTAIA se quejaba de que 270 niños debían salir de casa, donde recibían maltratos. Los 270 niños tenían que salir de su casa, por protección, porque estaban sufriendo alguna situación de riesgo en su familia, y no podían salir porque no había plazas en centros de protección de menores.

—¿**No ha aumentado el presupuesto?**

—La carencia es la misma. No sé decirte las cifras globales ahora, pero, por otro lado, no te las creas. Mienten. La DTAIA miente, miente, y además, a menudo. Cuando presentan las estadísticas cada año, a menudo esconden datos, y los meses no suman los totales anuales... Y a veces, a algunos niños, ni los registran, lo que es completamente ilegal.

—**Pero ¿cómo se permite?**

—Por falta de consideración a los niños, que para ellos no son niños, son bebés que hay que dar en adopción a alguien.

Y sus padres biológicos no son padres, son bichos. Por esa misma razón, un niño marroquí o senegalés no acompañado no es un niño, sino un inmigrante ilegal.

—Molly también deploraba que muchos centros de menores vivieran a costa de los niños retirados a sus padres.

—Hay una cosa que suena sucia, pero no se puede utilizar otra palabra. Es la *perversión*. Dices: 'Coño, perversión. Eso es follar, sexo…'. No, no, no. Perversión es hacer servir una cosa para la que no está concebida. Por ejemplo, si duermo en una silla, pervierto la silla. Si mi cama la hago servir como mesa para comer, pervierto la cama. El sistema de protección está pervertido. Proteger es ayudar a la familia para que cuide mejor al niño. Hay una máxima en derechos de la infancia: evitar que el niño salga de su casa, y si es irremediable (porque se le pega, se abusa de él, se muere de inanición…), se le saca, pero se ha de intentar entonces que vaya a su familia extensa (tíos, primos…), y que vuelva lo antes posible a su casa. Y si no puede ser a la familia extensa, a una familia de acogida, que acoge a niños y que está preparada para ello. Y si no, la adopción. Ahora se saltan pasos. Lo último que se ha de hacer es llevar al niño a un centro.

—¿Por qué se les lleva?

—Porque son clasistas. El pobre es pobre y, además, malo. El alcohólico es alcohólico, él y toda su familia.

—¿Por interés?

—Hay un entramado de profesionales, públicos y privados, que existen y necesitan existir. Son nóminas. Es muy difícil parar esto. Todos quienes trabajamos dentro contribuimos de alguna manera a la *perversión*.

—¿Quizá porque se cobra una subvención por niño?

—Ochenta euros por niño y mes en algunos centros cuando en otros son 150 euros por niño y día. Que me expliquen las diferencias.

—La lógica interna es que cuanto más niños en los centros, mejor, ¿no?

—Claro.

—¿La DTAIA actúa con consciencia de lo que hace?

—La DTAIA son dos cosas. Primero, la que manda en todo el sistema de protección, desde la atención primaria de los ayuntamientos hasta los maestros de escuela. Segundo, es la entidad tutelar. La que decide si se retira la guarda y custodia y la tutela de los padres. La DTAIA es la madre de los niños. Y el director del centro de menores es el padre de estos niños.

—¿Muchos de estos centros de menores son subcontratas?

—Sí. Hay empresas de seguridad que gestionan centros de menores. Hay empresas de limpieza que gestionan centros de menores. Y hay oenegés de mierda, macrocooperativas, como la Asociación de Integración Laboral, auténtica basura.

—Cuando entrevisté a Lluís Grau, el Defensor del Poble Català, me justificaba las celdas de aislamiento en tres centros...

—...¡¿Tres?! Son más de 30. Ilegales, asquerosas. ¡No, no, no! Esto es la *perversión*. Buena parte de la culpa de lo que pasa en estos centros la tienen los educadores que trabajan en el sector, porque hemos confundido todo y no tenemos clara nuestra tarea. Hemos de cumplir la ley, no obedecer cualquier norma.

—Pero...

—¡No se ha de sobremedicar! ¡No se ha de meter a un niño

en una celda de contención! ¡Yo a mi hijo no le doy líquidos, gotas, pastillas para dormir; y a mi hijo no le castigo sin cenar, porque es un maltrato; y a mi hijo no le castigo echándole de casa!... Todo esto lo hace la DTAIA. Por muy rebelde que sea un niño no se le puede encerrar en una habitación sin ventanas.

—¿Por qué se hace?

—Lo que dicen es que el niño ha tenido una crisis, un brote, un arranque. Pues entonces, que se llame a un psicólogo o a un médico.

—Pero los educadores no tendrán margen a veces...

—¡Tu trabajo no es hacer mal a nadie! Yo no puedo aguantar ni un día ni un año haciendo estas guarradas.

—¿No hay denuncias que eviten estas prácticas?

—El sistema colabora, del último educador al Defensor del Poble Català.

—Pero...

—Se tiene miedo. Hay educadores expedientados, contratos no renovados, temor por la situación laboral. Se cubren puestos con substituciones, contratos de medio año, gente que no es profesional del sector, muy vulnerable por su condición laboral. No son educadores en muchos casos. El principal trabajo del educador es dar ejemplo, charlar con los chavales. Hay muchos malos educadores porque hay muchos malos adultos. Si un chico te insulta con un "puta" y un "guarra", tú como adulto y educador no le contestas de la misma manera o encerrándole en una *habitación de contención* a la que todos llamamos *calabozo*...

—Vosotros como colectivo...

—Y no hay sindicatos, no hay comités de empresa, los colegios profesionales no actúan para defender la profesión… Es sorprendente.

—¿Qué medidas se están tomando para evitar la opacidad?

—En lo que llevamos de año, que yo sepa, varios grupos de estudiantes de Educación Social y de másters de Educación han querido visitar los centros de menores, pero no se les ha dejado. Una fundación internacional quería hacer una película documental… Denegado. Amnistía Internacional está haciendo un estudio sobre centros terapéuticos… Denegado. La Agencia de los Derechos Fundamentales de la Unión Europea quería… Denegado. La Asociación Internacional de Educadores Sociales… Denegado. La oenegé Terre des Hommes International Federation quería estudiar la situación de los menores… Denegado.

—Yo estoy esperando que Amperio Voltio, del gabinete de prensa de Reacció Social, me conteste un correo para visitar un centro con celdas de aislamiento.

—Son unos maleducados, con una falta de respeto bestial hacia los investigadores, los profesores, las entidades de la Unión Europea… Y cada día es peor. La actual DTAIA gobernada por Esquerra Unitària de Catalunya (EUC) es peor que la que era gobernada por Confederació i Nació, muchísimo peor en todos los sentidos. Están haciendo cosas increíblemente más cutres que antes…

—¿Por ejemplo?

—El control férreo, ahora, es total. Antes eran más paternalistas.

—¿Los políticos conocen la situación que describes?

—No me importa, no me importa… Es su obligación cono-

cerla. Ahora, una de las características de la DTAIA gobernada por EUC es el clientelismo. Han entrado a trabajar personas que no tienen ni zorra idea de la infancia. Y se gasta
mucho más dinero que antes.

—¿Ejemplo?

—El 'Programa Atlas' para repatriar niños, con dos millones de euros. La *consellera* Pepita Roig afirma que cada año,
voluntariamente, vuelven 150 niños a su país, cuando en realidad son 14 críos. ¿El resto, dónde están? ¿Y dónde están los
dos millones de euros del programa?

—¿Dónde?

—¡Ostia! ¡En el bolsillo! En lujos, viajecitos… El director
del programa no tiene calendario de viajes. Va por ahí…

—¿**Quién es el director?**

—Roger Flor, un señor que no tiene ni idea de cooperación
internacional y que es el responsable de este programa. Pero
aquí no pasa nada… Hemos puesto una denuncia.

—**Y…**

—La DTAIA ha de vigilar. A quienes criticamos la situación, se nos ataca. El Defensor del Poble Català calla, no hace
nada. No puede ser que un líder tan significativo de la política como Lionel Cleries salga de su partido [Identidad Catalana
Antinuclear, ICA, uno de los tres partidos que, coligados,
gobiernan en la Generalitat] y se meta a Defensor, un puesto
independiente. El penúltimo informe del Defensor fue un
corta y pega de las denuncias que nosotros le presentamos.
Una vergüenza, por favor.

—**Al Defensor del Pueblo de España le criticaron por
exagerar sobre los centros de menores.**

—Por aquí. [El gesto con el dedo no hace falta que se describa. Se sobreentiende. Víctor es una perca en las aguas del Nilo que entra en trance, como si acabara de hacer la confirmación.] ¿Estos del Defensor y de la Fiscalía de Menores cómo pueden decir que en Cataluña no se maltrata a los menores si no escuchan a los niños? ¿Cómo puedes contradecir a un señor Defensor del Pueblo de España que prueba que hay calabozos, sobremedicación...?

—**¿Qué solución le veis a todo esto?**

—No lo sé.

—**Molly tiene un miedo espantoso, nosotros nos encontramos con puertas cerradas, nadie quiere hablar, el Departament de Reacció Social ni nos da largas, simplemente no nos contesta..., y eso que en el carné del Col·legi de Periodistes lo pone bien clarito: "Es recorda a les autoritats l'obligació de facilitar-li el desenvolupament de la seva tasca professional"...**

—En la Fiscalía de Menores a mí me sacaron el Código Penal para amenazarme y pedirme que no les llevara menores allí. Nosotros, a los niños no acompañados les pedimos que no mientan, que sean sinceros, y les escuchamos. La DTAIA eso no lo hace. Es una máquina perversa que actúa y no pregunta. Hay un vigilante con uniforme y porra en un centro de menores que es el mejor educador para ellos, y hay salvajes maltratadores con título universitario que hacen de educadores...

—**¿Quién se salva? ¿En quién confiar?**

—Yo me he llevado una gran decepción. Personalmente soy muy inocente, soy muy progre... Creo en las libertades. Yo cada día alucino con la DTAIA. Y me sorprende lo que ocurre en este país.

—**Quiero creer que...**

—¿Es que no leen nuestros mails de denuncia?

—**Cuando veníamos, me decías que en Els Tarongers ha habido una muerte.**

—Sí, hace poco. Y el jueves pasado (13 de agosto del 2004), en una pelea en el Raval, ha muerto un *nano* argelino. En la prensa ha salido: "Un joven argelino muere apuñalado en plena calle". Pocos han investigado y han descubierto que ese chico acababa de salir de un centro de menores, del que le echaron así: "Hala, has cumplido 18 añitos, a la calle".

—…

—A pesar de todo, el trabajo con mis compañeros es el de respetar y defender la ley. No queremos ser El Educador Bueno Que Ayuda. Queremos que se cumpla la ley, con la ley en la mano. Por eso denunciamos y enviamos copia a las instituciones pertinentes, que en muchos casos cobran por un trabajo que nosotros les hacemos ya que ellos se niegan a hacer.

A Víctor Dalmau, frustrado, le salía humo por la nariz. Se ponía de morros cuando oía mencionar el Defensor del Poble. De una cartera sacó unos portafolios con originales sobre el último caso que DARI estaba llevando. Documentos con el membrete de "carácter urgente" sobre I., un chaval exiliado de Mauritania, cuyo padre salió pitando después del golpe de Estado de agosto del 2003, del que la comunidad internacional aún no se da por enterada. "A I. se le acusa de falsificar un documento, un delito muy grave. En lugar de llamar a la embajada correspondiente, la DTAIA le ha hecho una radiografía de la barbilla. ¿Eh? ¿Para comprobar que es el de la foto que sale en el pasaporte?"

Jesús se quedó sin palabras. Víctor pagó la cuenta. No daba tregua. Minutos antes de coger el metro, aún repartía mandobles: "La DTAIA, gobierne quien gobierne, continuará igual, no cambiará. Hay un quiste funcionarial que manda. Con el Tripartito en el poder, este quiste se ha hecho poder político".

De la línea sucesiva del "supuesto-procesado-acusado-condenado", la DTAIA estaba condenada de antemano.

Jesús se fue con la sensación de haber tragado un mar de sal. Ni cogió el Bicing por si la mala suerte le acompañaba y le daba el número de una bicicleta sin frenos ni pedales, como ya le pasó una vez. Con Gustavo analizaría el próximo paso, antes de abordar la DTAIA. Le apetecía encontrarse con ese Roger Flor, y cómo no, con la *consellera* Pepita Roig. Su versión sería sumamente interesante. Con Gustavo no podía comunicarse. Volaba a Cachemira.

Se acordó de aquellas cervezas que tomaron la última vez que se vieron, y sobre lo que platicaron largo y tendido. El alma del reportaje. El alma debía ser Molly, algo que cada vez adquiría más forma. Esa semana, Jesús la llamó. Como no contestaba, le envió un correo. Su respuesta fue como ella, escueta, gélida e intrigante, con el suspense de Hitchcock y los balbuceos de las lechuzas: "No estoy ahora en Barcelona, pero de todas maneras estaré ahí por el otoño, y me gustaría hablar".

CAPÍTULO 8. Sigue todavía el dinero...

Gustavo conoció el 2 de junio del 2004 a la diputada del Parlament catalán Clara de Jarnés. En realidad, esperaba encontrar a otros miembros del partido Confederació i Nació (CiN). En las animadas charlas en la terraza esquinera de la Plaza Vicenç Martorell, o la Plaza Sin Nombre, como a Jesús le gustaba llamarla, los reporteros habían llegado a la conclusión de que para conseguir una versión no oficial y bien enterada de los manejos del dinero en los centros de menores tenían que tocar las puertas de la oposición. Antes que caprichos ideológicos, era una cuestión práctica. Estaba claro que después de 23 años en el gobierno, CiN conocía bastante bien los hilos del poder en Cataluña. La creación misma del sistema de protección de menores era su obra. Aunque bastante similar al resto de España.

Fue casual. Inspirado, hasta cierto punto. Estaban a la vuelta de la esquina las elecciones europeas, que se realizaban el día 7 de junio. Así que por esos días los políticos eran más visibles, como lágrimas de San Lorenzo en una noche de verano. Hasta un ciego podía verlos en mítines, seminarios, parques, y hasta comprando el pan. Gustavo aprovechó una conferencia que se realizó en el Centro Gallego de Barcelona. Ahí se topó con otros líderes de Nació Democràtica de Catalunya, que se refirieron a los retos de la gobernanza europea y a la importancia de las instituciones comunitarias. Tuvo que esperar hasta el final, para acercarse a la *exconsellera* de Justícia i Interior de la Generalitat. Durante ocho años, Clara de Jarnés había ocupado estos cargos.

—**Me gustaría que pudiéramos quedar para hablar de una investigación que estoy realizando sobre los centros de menores** -dijo el periodista sin perder un segundo al terminar la conferencia. Tuvo que imponerse entre la media docena de personas que intentaban decirle algo o tan sólo saludar a la diputada catalana. Por suerte, las mesas que se encontraban al otro lado de la sala empezaron a llenarse de humeantes y frescas croquetas, tortillas de huevo y botellas de Coca-Cola y vino. Los que nos rodeaban se apresuraron a tomar su ración. Así que durante un par de minutos, De Jarnés y Gustavo quedaron aislados del grupo, el tiempo suficiente para que ellos llenaran sus platillos de bocadillos.

—**Ya he publicado sobre el tema, parece que algunas cosas no se están haciendo bien en los centros de menores** –añadió Gustavo para convencerla. No se esperaba que la diputada rechazara hablar del tema, pero sí que contestara con un escueto "envíame un mail". Pero la respuesta recibida le animó.

—Aquí tienes mi tarjeta. Si me escribes podemos concertar una cita en mi despacho –dijo De Jarnés. La única condición que le pidió fue que esperara hasta una semana después de los comicios europeos.

No tardaron en volver sus compañeros de partido y los comensales del final gastronómico que tuvo el acto. El periodista se despidió de ella, pero permaneció en el local para terciar en un par de corrillos y picar de los bocadillos. Para Gustavo éste era el momento más apreciado en este tipo de reuniones, pues podía amigar con los políticos en un ambiente informal. Sin embargo, estaba cansado, con sueño ya, pese a que eran más o menos las 21.30 h. Su turno en el diario digital en el que trabajaba por las mañanas comenzaba a las siete, de manera que debía ponerse en pie a las seis. Pero decidió que valía la pena gastarle un tiempo a la conferencia. De otra manera habría empleado más horas y llamadas para ponerse en contacto con un exalto cargo de la Generalitat. Y aunque lo consiguiera, habría tenido que dejarse ver la cara para generar empatía. Si esperaba recibir información importante, no era lo mismo contactar con una fuente sólo por teléfono que de manera personal.

El 16 de junio del 2004, Gustavo le envió un correo electrónico con los artículos aparecidos en *Público* sobre Molly Malone. La respuesta tardó unos días. Así que el 10 de julio el periodista se plantó en el Parlament de Catalunya con la camisa planchada y unos folios bajo el brazo. Eran las páginas 78, 79 y 80 de los Presupuestos de la Generalitat de Catalunya para el 2004. En ellos se detallaban, clasificados por códigos, diferentes sectores del gasto público.

"318 -Atención a la Infancia y la Adolescencia - 162.308.834,26 euros (total consolidado)"

La abultada cifra era cercana a otros conceptos como Deportes y Educación Física (116.471.761,06 euros), y a Servicios Complementarios a la Educación (147.282.290 euros). Un par de semanas antes Gustavo recibió esta información del Departament d'Economia i Finances. Pese a que la estuvo analizando por las noches cuando llegaba a casa, en el metro, luego de la cena, en la cama antes de dormir..., le seguía pareciendo un lenguaje encriptado. Él sabía perfectamente cómo podría gastar 162 millones de euros. Quizá no tendría que trabajar en una redacción y escribiría con más holgura la investigación sobre centros de menores. Demasiado fácil. Seguramente se olvidaría del periodismo y viajaría por el mundo. Pero ¿qué significaba esta cifra para los centros de menores desamparados? ¿Cómo se distribuía este monto? ¿Se gastaba bien, mal, regular...? ¿Cuántas noches bajo la tutela burocrática representaban para la vida de un menor 162 millones de euros? El periodista quería entender. Pero los números no le cantaban nada. Trataba de ser riguroso. Exacto. Estadístico. Pero mientras más buceaba en este presupuesto, más perdido se sentía.

Notó una gran agitación en los pasillos del Parlament. No sólo funcionarios apresurados por llevar una carpeta llena de papeles hacia algún despacho y políticos en corbata contestando sus teléfonos móviles. También periodistas y operadores de cámara. Esa mañana todos estaban pendientes del debate para la aprobación de una nueva Ley de Educación. La primera, exclusiva, para Cataluña. Así que le costó parar a alguien que le dijera dónde se encontraba Clara de Jarnés. Cuando lo consiguió, le indicaron que tomara asiento en una pequeña recepción de grandes y blandos muebles de piel. La cita era a las 12.30 h, por lo cual debió atravesar el Parc de la Ciutadella bajo un calor canicular. Tuvo que apurar el paso para ser puntual. Llegó algo sudoroso. El frescor templado de la sala le hizo sucumbir en una modorra irresistible. Como asustado de que lo pillaran, reaccionó rápidamente. Fue al baño para lavarse la cara y espabilarse. Volvió al mismo sofá. Muy dentro de su ser, agradeció el refugio del calor irrespirable de afuera. Nuevamente descendió en un espeso sueño. Esta vez no tuvo fuerzas para resistir y cayó en un invencible letargo. A ratos despertaba con el ruido de algún portazo o con el eco de los aplausos que se producían en el hemiciclo. El cansancio acumulado hacía que cerrara los ojos a la mínima oportunidad. Después del parte de la diputada, volaría como un avión supersónico a la oficina de Karina Tajmar, una publicista austriaca con su propia empresa, Creative Marketing Services, el empleo de Gustavo por las tardes. Karina, incombustible, se lanzaba a las campañas más divertidas, como, por ejemplo, una manifestación de desnudos en las Ramblas. Su tremendo perfeccionismo le tenía contento y agotado, agotadísimo.

A las 13.15 h, alguien le tocó en el hombro.

—Perdone, la diputada De Jarnés le espera en su despacho —dijo una de las funcionarias, que trabajaba en una oficina junto a la acogedora sala.

Un poco atontado, Gustavo preguntó por dónde debía dirigirse. El camino señalado indicaba que la parlamentaria debía de haber pasado delante de él para llegar hasta su despacho. Debió de poner una cara de estúpida incomprensión, porque la secretaria añadió:

—Es que pensábamos que estaría en el hemiciclo, pero resulta que está en su oficina -alegó la mujer, sin mostrar ningún remordimiento.

Clara y Gustavo estuvieron durante 45 minutos separados por una docena de pasos. Ella atendía el debate en la cámara, mediante la señal interna de televisión. Mientras, el periodista se enfrentaba sin remedio con la fatiga estival. Le molestó verla ahí, concentrada en la imagen del pequeño televisor. Disimuló con la cortesía y tocó la puerta, pese a que estaba abierta de par en par.

—Pasa, pasa... Es que pensaron que estaría en la cámara. Pero te estaba esperando. Qué lástima que no me hayan llamado al despacho. Me sabe mal —se disculpó De Jarnés, más apenada que su secretaria.

—**No es nada, me estaba refrescando del calor que hace afuera** —señaló el periodista.

—Si no te molesta..., es el debate final para la Ley de

Educación. Debo estar muy atenta –advirtió sin despegar los ojos de la pantalla–. Mira, aquí te he preparado esto –añadió. Extendió sobre el escritorio tres juegos de fotocopias, como las barajas triunfadoras de una mano de póquer. Correspondían a sendas cuentas de 2002, 2003 y 2004. En este nuevo impreso lleno de números como los anteriores, algo estaba más claro al comparar los diferentes periodos. Era el mismo que desmenuzó en el tren que lo llevó hasta Tarragona, para visitar a Petra Fonts un par de semanas después del 25 de junio [capítulo 6]. La diputada le hizo notar que apenas había un incremento por debajo de la inflación, del monto destinado al "Funcionamiento de centros y servicios con gestión autónoma" y "Gestión de centros y servicios". Mientras ella contemplaba el arrebato de un legislador desde la tribuna, el periodista hizo el escrutinio de los distintos valores detallados en la lista. Todavía no le había dicho que podía llevárselo. Por el temor de que fuera la única vez que lo tuviera en sus manos, hizo un veloz análisis. Encontró un concepto tan difuso como romántico, como era el de "Dietas, locomoción y traslados". En éste el aumento fue de un 50%.

—Ellos se jactan de que aumentan el presupuesto —indicó Clara—. Pero crece porque suben los alquileres, los salarios, etc. No hay un aumento real de la inversión.

—**Y ¿qué ocurre con las tutelas de menores?** -preguntó el visitante-. **El artículo que le envié trata de una sentencia que determina el retorno de una niña a su madre después de dos años. Una pediatra declaró ante un tribunal de tres juezas haber sido presionada por los servicios sociales para que emitiera informes desfavorables contra la madre...**

—Lo que puedo decir es que cuando gobernábamos, los

trabajadores sociales accedían mediante una selección. Debían cumplir un perfil, había requisitos.

—¿Cree que en estos comportamientos influye el dinero que ingresan en los centros privados por acoger a los menores? —manifestó Gustavo sin mayores rodeos. Antes de contestar, De Jarnés se echó hacia atrás en su silla. Se quitó las gafas.

—Definitivamente, creo que no.

—¿Es posible conocer cuánto facturan por los menores?

—¡Oh, sí, eso está determinado en los convenios! Pero eso depende del tipo de atención que prestan y del acuerdo que tienen con la Administración.

—Entonces, ¿es posible que los centros tengan diferentes acuerdos con la Generalitat?

—Sí, es posible.

—¿Cómo puedo acceder a esos convenios? -preguntó con ansiedad Gustavo.

—Eso lo puedo arreglar. Nada más debes decirme el nombre de los centros.

Pero el reportero no los tenía a mano. Se maldijo a sí mismo por el despiste. Entonces llamó a Jesús desde el teléfono móvil, mientras Clara de Jarnés seguía atenta al debate en la televisión. La llamada acezante sorprendió a Jesús. Como era natural, pues no se la esperaba, no llevaba el dato encima. Así que Gustavo quedó con la diputada en enviarle el nombre de los centros que le interesaban. Lo hizo el lunes 13 de julio del 2004 a primera hora. En cualquier caso, el canal ya estaba abierto con la nueva fuente.

"Bon dia, Clara:

Moltes gràcies per la teva disposició a col·laborar en el nostre projecte. Moltes vegades els polítics confonen el càrrec amb la inaccessibilitat... Però amb tu no és el cas. També he posat els pdf's dels articles publicats en el diari *Público* el passat XXX. Els convenis dels centres que ens interessen serien els següents:

-Els Ametllers

-Can Ros

-El Papus

Gràcies."

Pronto llegó agosto con la suspensión cósmica de las actividades administrativas. Los diarios como *El Periódico de Catalunya*, que se habían rasgado las vestiduras por las imágenes de los turistas ingleses de Lloret que daban por el culo en el Mercat de la Boqueria, no tenían reparos, al mismo tiempo, en seguir publicando sus anuncios de relax como éste: "Lolita Dinamita, todo en mi boquita".

Gustavo se fue a la India el 7 de agosto, en búsqueda de unos reportajes sobre la violación de los derechos humanos en Cachemira. Detrás de no sabía qué, pero siempre con la esperanza adolescente de encontrar la mejor historia. Una vez allí, llegó a sitios recónditos donde la guerra no es un cuento para niños antes de dormir. Donde el mercado central de un pueblo puede llegar a ser una fosa impune rebosante de cadáveres. Cuando se hallaba en Nueva Delhi poco antes de tomar el avión de regreso a Barcelona, vio en la página web de *El País* las imágenes y el texto que el escritor Juan José Millás realizó en la misma zona. Había sido invitado por la ONG Médicos Sin Fronteras. En el vídeo promocional que anuncia-

ba el reportaje un día antes, podía verse al periodista convertido en protagonista de su propio reportaje. La cámara lo
seguía en las embarcaciones del lago Dal que ahí se conocen
como *shikaras*, atravesando a pie los barrios de Srinagar, incluso abrazando a una víctima con emotivo consuelo. Pero lo que
incomodó a Gustavo no fue esto. Fue que se le diera tanto
despliegue noticioso a una crónica que se gastaba los cuatro
primeros párrafos en hablar del sórdido hotel que tomó por
sorpresa a Millás y de las cucarachas que esperaba pisar pero
que nunca aparecieron. Además de que, de cabo a rabo, desde
la primera línea a la última, la fuente principal fuera la organización humanitaria y el informe que había publicado hacía dos
años. ¡Dos años! Gustavo reconoció algunos de los lugares.
Los nombres, las casas y hasta los árboles. Durante esos días
Gustavo escribió en un diario sus impresiones de la visita realizada a la población de Sogam, donde según sus habitantes,
no había estado en años ningún otro periodista occidental:

"Mientras nos dirigimos a tan desdichada fosa
en la plaza principal del pueblo, nos siguen unas
doscientas personas. Comienzan a caminar
sobre una tierra blanda, cubierta de montículos
alargados y redondeados como enormes barras
de pan francés. Sólo unas dos o tres tienen su
respectiva lápida. El resto siguen huérfanos de
memoria. Es una sensación muy intensa saber
que estoy caminando sobre los brazos, piernas,
cabezas y rostros desfigurados. Me aterroriza
pensar que ocurra lo mismo que en la anterior
fosa, que la cavidad vacía antes ocupada por un
cadáver que devoraron los ratones se quiebre
como una cáscara de huevo bajo mis pies."

Aunque estuvo a un par de kilómetros de la belicosa frontera con Pakistán, aunque entrevistó a los más cercanos colaboradores del líder de Lashkar-e-Taiba, autores del atentado múltiple en noviembre del 2003, en Bombay, aunque tuviera el mejor material y las más diversas fuentes, aún tenía que esperar que su tema se hiciera un hueco en las páginas del diario... ¿Tal vez en octubre? "Porque en agosto y en septiembre tenemos menos páginas", se arremangó el jefe de Internacional en *Público*. "Si entrevistas a Nelson Mandela, como no eres una estrella del periodismo, seguro que tampoco te publican: ¡has de pertenecer a la *jet set* periodística!", le decía Jesús. Apenas Gustavo hubo enviado el relato fruto de su viaje, fue invitado a hablar sobre su experiencia, el 16 de septiembre del 2004, en el Consejo de Derechos Humanos de las Naciones Unidas, en Ginebra. Pensó que quizá esto ayudara a que le sacaran el polvo a su trabajo. Pero aún debió esperar hasta noviembre. Mientras tanto dudó terriblemente de su artículo. Para arrancarse este nefasto sentimiento, volvía a la escena que le recordaba la enseñanza de Lord Northcliffe, aquél fundador de periódicos que describía la noticia como aquello que alguien quiere ocultar.

Fue luego de su intervención en Ginebra, en la que mostró imágenes de torturados y fosas masivas. Mientras tomaba el café, se le acercó una mujer de aspecto inofensivo. Llevaba un lunar pintado en la frente y vestía un sari. Se presentó y amablemente preguntó:

-¿Quiénes son esas personas en sus fotografías? -sorprendido, el periodista le contestó que eran sus fuentes y que no tenía por qué identificarlas.

-Se lo pregunto porque no debe creerles, no dicen la verdad...

Gustavo recordaba esta anécdota el 20 de octubre del 2004, cuando Pascual Serrano publicó una columna de opinión en *Público*:

"Basta echar un vistazo a nuestras televisiones y periódicos para comprobar el tremendo espacio en tiempo y en papel que ocupan los asuntos triviales y las banalidades sensacionalistas, es decir, las 'noticias basura'. Como ejemplo del caso español, podemos recordar que un reciente sondeo de Sigma Dos mostraba que las discusiones referentes a la exmujer del torero Jesulín de Ubrique, Belén Esteban, y su esposa actual, María José Campanario, habían ocupado en España nada menos que 4.000 minutos de la parrilla televisiva veraniega o, lo que es lo mismo, cerca de tres días enteros monotemáticos. Como resultado, sólo un 2,2 % de los encuestados se pronuncia afirmando 'no saber de la cuestión', mientras que en los sondeos de opinión sobre José Luis Rodríguez Zapatero y Mariano Rajoy los indecisos rondan el 10%. Este es un claro ejemplo de para qué sirven las 'noticias basura': para desviar la atención de las temas importantes."

Procedente de Cachemira, el reportero volvió a Barcelona el 7 de septiembre del 2004. Una de las primeras cosas que hizo en los días venideros fue enviar nuevamente un mail a la diputada de CiN Clara de Jarnés. Esta recordaba perfectamente la solicitud, pero aún no disponía de los dichosos documentos. Agregó en la respuesta que le esperaba a Cataluña un "difícil momento" en la política. Aunque no lo especificó, el periodista pensó que se refería a las consecuencias que estaba teniendo para su partido el *caso Billet,* el gran escándalo por el desfalco de fondos del Palau de la Música. La diputada también le dijo que esperaba a finales de mes contar con lo encomendado. Pero hasta el 30 de septiembre, Gustavo no contaba con nuevas luces. Se arrepintió de no haber verificado anteriormente la relación de los tres centros con la Generalitat. Porque descubrió que sólo uno, El Papus, estaba en régimen de gestión concertada con una fundación privada (Fundació Sociedad Educadora).

La encargada de protocolo de la Fundació Sociedad Educadora contestó casi una hora después al recado que dejó en las oficinas de esta entidad en Vendrell. Se llamaba R. y parecía muy interesada en hablar con el reportero.

—Pero, antes que nada, ¿qué tipo de periodismo hacéis?

—Pues intentamos hacer un periodismo responsable porque sabemos que hay cosas en los centros que se pueden hacer mejor, pero que también hay dificultades —respondió Gustavo, tratando de sortear la actitud defensiva de la mujer.

Sorprendentemente, esta expresó:

—Pues cuanto antes me gustaría quedar, porque salen muchas noticias malas en los medios sobre los centros, pero nadie se toma el trabajo de conocer nuestras dificultades. Tenemos pocos recursos, es muy complicado...

La conversación se dio un miércoles. Luego de la llamada, le envío por mail su teléfono y el de Jesús, con el enlace al sitio web que cada uno tenía para mostrar su trabajo. Ella respondió dos minutos después con un interés inesperado:

"De hecho ya estoy dentro de vuestros sitios, la verdad es que muy interesante. A ver si la semana que viene puedo bajar a Barcelona y quedamos, te iría bien el día 6? Martes? Y donde exactamente?

Un abrazo y hasta pronto;

r"

Llegó la fecha señalada, sin recibir la confirmación de la cita. Entonces Gustavo decidió enviarle otro mail, preguntando por el encuentro pendiente. Ella respondió:

"Apreciado Gustavo,

estamos hablando aún con la DTAIA (nuestro órgano de infancia responsable), cuando tengamos respuesta te digo algo. gracias por la paciencia y perdona."

Estaba ya acostumbrado a que la información relacionada con los centros de menores fuera siempre huidiza, llena de permisos y autorizaciones. El olfato de su compañero fue certero, como luego demostraron los hechos. Después de haber reenviado a Jesús la ambigua explicación de R., el reportero recibió como respuesta de su compañero algo que se confirmaría más tarde:

"No nos recibirán. Es lo mismo, recoge todas las negativas. Yo estoy intentando cerrar una entrevista con un chaval de los centros, mediante la educadora social con quien hablé... Si lo consigo, te la paso. Yo tengo bastante con la entrevista a la *consellera* [Pepita Roig], y con Molly, con quien intentaré también hablar..."

CAPÍTULO 9. "Cada menor, un precio"

La mañana del viernes 2 de octubre del 2004 madrugó por tonto. Jesús se levantó a las seis menos cuarto, con los mirlos, empapados por la lluvia fina de una noche que prometía ser tórrida. Se vistió, se metió de lleno en el hueco del ascensor, y de ahí en el túnel del metro, para hacer el maratón de las paradas de estación: de plaza de Sants a Vilapicina, llevaderas gracias a los microcortos del festival Subtravelling de TMB, en especial *El agujero negro,* que por corto parecía un microchip. El periodista quería ver la furgoneta con los niños de Els Tarongers, en el colegio Mare de Déu del Mar, en la calle de Santa Eulàlia, rodeada de oficios artesanos. Su idea era asaltarlos y dejarles un teléfono de contacto para que le llamaran en la mínima ocasión que tuvieran.

A las ocho menos diez minutos, en los banquitos de la plaza no había un hueco para sentarse. Los adolescentes, con camisetas de Homer y vocecitas de Lady Gaga, sostenían en la comisura de los labios los cigarros rubios, algunos encendidos y otros aptos para la llama, y cargaban sus mochilas sobre un hombro. En sus MP3, la canción que les hacía mover los pies: *When love takes over,* de Nelly Rowland. Carteles en las cabinas de teléfono del concierto de *La Quinta Estación* y pasquines de una exposición fotográfica sobre "la experiencia de la romería del Rocío", al lado de pegatinas de la Joventut Comunista de Catalunya, que se negaba a desaparecer como el patriarcado orgánico al cual había servido durante 80 años.

El periodista, en un aparte, puso el ojo en las furgonetas blancas que patrullaban la zona, las cuales resultaron pertenecer a empresas variadas con quehaceres ordinarios: reparto del pan, montaje de estanterías, brigadas de mantenimiento..., de nuevo reparto del pan… Sonó la sirena que avisaba del inicio de las clases, a las ocho en punto, y Jesús, más expectante que impaciente, entró en el equipamiento para preguntar a las sabatinas sordas de la recepción si ya habían venido los chicos de Els Tarongers. Por más explicaciones que dio, ellas no adivinaron de qué se trataba el embrollo ("¿Qué dice? ¿Que qué dice? ¿Niños de centros de menores? ¿Aquí?"). Llegaron a la conclusión de que todo había sido un malentendido y que, quizá, el visitante no se había anotado bien la dirección exacta que buscaba, algo que dejó claro su murmullo, que sonaba algo así como "este tipo está chalado". Jesús pensó que le había tomado el pelo la directora de Els Tarongers, Inés Agustí, por lo que, pasados 10 minutos, decidió despertarse de verdad con una inyección de café, acompañada de un cruasán. En el Forn Padró, en la misma plaza, otra furgoneta de reparto le sació de bollos rellenos y panecillos sueltos. El periodista empezó a escribir estas líneas, que se sumaron al cabreo generalizado de una semana de latrocinios. Las consecuencias de una crisis económica galopante le habían dejado prácticamente sin reservas monetarias a fin de mes. A finales de septiembre cobró en Ediciones Bolena el sueldo correspondiente al mes de junio.

Indignado, además, por el mamoneo de los directivos de la banca, usurpadores profesionales, quienes perseguían únicamente el máximo lucro personal, y que -se rumoreaba- se repartían, además de sus primas, los 30.000 millones de euros aportados por el Gobierno, que, a fin de cuentas, salían de los bolsillos de los ciudadanos —consumidoresproductorestrabajadores ("los mayores bancos comerciales españoles han evitado la crisis y han seguido teniendo beneficios a pesar del momento económico actual", *Financial Times,* 2 de octubre del 2004). A las entidades bancarias les había cogido tirria mucho antes de que recibiera este mail del Programa Carnet Jove de la Generalitat de Catalunya:

"Benvolgut Jesús,

En resposta al teu missatge t'informem que si vols rebre el nostre *newsletter*, és imprescindible que facilitis el teu e-mail en una oficina de "la Caixa", doncs tota la informació que se us envia es fa a través de les dades que ens faciliteu en el moment de fer-vos el carnet (a "la Caixa"). Cordialment, X.".

Por esos días, Gustavo y Jesús habían trasladado el cuartel general de sus reuniones del café de la Plaza Sin Nombre al local de copas La Valentina, en la plaza de Regomir. Allí curraba de camarero Néstor Parrado, uno de los legendarios Hermanos Parrado, un compañero que se estaba sacando la carrera de Periodismo, con quien Jesús había trabajado en una productora. Alimentado por las patatas saladas y las cervezas de barril, Jesús se refirió a la correspondencia recibida en su casa un par de días antes. Eran las ofertas con descuento que le habían llegado en el último sobre del Col·legi de Periodistes de Catalunya, como el mejor promotor de servicios privados para el nada rico gremio: Zurich Seguros, Banc Sabadell, Quadis, Regal, RACC...

"Construeix amb nosaltres el Col·legi

del segle XXI

Útil...

-Per gaudir d'avantatges exclusius en la contractació de serveis financers, mutualistes i d'assegurances, a mida del nostre col·lectiu.

-Per gaudir de preus especials en una àmplia

gamma d'ofertes d'oci, esportives, culturals, viat-
ges, vacances, hostaleria, automòbils, aparca-
ments, etc.

-Per accedir a descomptes especials substancio-
sos en l'adquisició i utilització de tota mena de
productes i serveis comercials."

¿Dónde estaba el acceso de los profesionales a los medios?
Jesús estaba escarmentado con la vasta lejanía que se había
interpuesto entre el ciudadano y los diarios-elefante. También
por esos días, intentó llamar a la sección de Cultura de *ABC,*
en Madrid, para vender un reportaje sobre el desfile de moda
de Kiss, en el Reino de Redonda, el más grande del mundo al
aire libre. La teleoperadora de la centralita le dejó boquiabierto: "Lo siento, no le podemos facilitar los mails personales de
los miembros de la redacción". Jesús había pedido el mail
laboral del jefe de sección, algo del tipo "@abc.es". Así que se
enzarzó en una discusión disparatada sobre correos persona-
les/profesionales-laborales, pero la chica se mostró inflexible.
Le dio una dirección genérica, que Jesús ni se apuntó porque
estaba harto de los info@enlavidaterespondere.com

(Al menos en ese viaje de prensa, organizado y sufragado
por la Oficina de Turismo del Reino de Redonda en España,
no se había colado la pandilla de amigos de algún periodista.
En el anterior viaje, a Brades, pagado y con todo lujo de
comodidades, un aspirante de la Academia del Cuerpo
Nacional de Policía, amigo de alguien, había añadido su nombre a la lista de invitados.)

Incluso los medios cercanos, como la Agència Catalana de
Notícies (ACN), se habían dotado de una estructura de man-
dos que, según algunos periodistas, les distanciaba de la mun-
dana realidad. En la conferencia de inauguración del quinto

curso del posgrado en periodismo Vecinal y Superior, el periodismo de proximidad por antonomasia, el director del ente Bernal Delgado, que alababa las maravillas de YouTube y de la TDT, fue puesto contra las cuerdas por tres aguerridas mosqueteras de boletines de zonas rurales que le echaron en cara que no predicara con el ejemplo. Según ellas, la ACN, como el resto de agencias, se había inclinado por un periodismo oficial, de seguidismo de los alcaldes y regidores de turno, un periodismo de declaraciones y contradeclaraciones a las que estábamos habituados: "El ministro del Interior, Alfredo Pérez Rubalcaba, ha dicho hoy en relación a la manifestación convocada en contra de las detenciones de varios miembros de la izquierda abertzale que el PNV debe saber que lo que está defendiendo en la calle es una estrategia político militar diseñada por ETA". Las tres mujeres eran partidarias de boicotear las ruedas de prensa en las que no se pudieran hacer preguntas.

Con el colega Néstor, en La Valentina, se rieron de las ocurrencias de un amigo de la infancia de Jesús que se había comprado una cámara de fotos Nikon Coolpix P6000, con mega pixeles por un tubo, y que ya fardaba: "Soy un fotógrafo". Un año antes se había regodeado por su nueva faceta, al abrirse un blog: "Soy un escritor". En YouTube había colgado vídeos, así que también era camarógrafo. Gustavo, que provenía de los talleres del Nuevo Periodismo Iberoamericano que se celebraban en Cartagena de Indias, infirió: "El periodismo ciudadano puede ser intrusismo si está separado del interés general con el que está concebido el oficio". Jesús contó que al maestro de Ràdio L'Hospitalet, Pequeño Tao, referente de los informativos de la cadena y relegado a otras funciones por discrepancias con la dirección, le incomodaba que los nuevos becarios cubrieran las noticias con el atolondramiento provocado por el excesivo peso de su equipaje, comparable a las mochilas que cargaban las tropas aliadas en el Desembarco de Normandía: los becarios acudían a las convocatorias con el trípode, la cámara de vídeo, la cámara de fotos, la grabadora, la *alcachofa* y el bloc para escribir la crónica.

Los periodistas retomaron la charla sobre los centros de menores. Acordaron seguir el rastro de Molly. Jesús explicó que después de no haber hecho absolutamente nada de provecho en Mare de Déu del Mar, cogió otra vez el metro, en dirección a la plaza de Sants, muy cerca de Ediciones Bolena, la editorial en la que trabajaba entre semana y que últimamente estaba recogiendo los anhelos de lucha de los antiguos soldados de la revolución de Bandera Roja, hoy respetables filósofos que han mantenido la coherencia de sus principios en sus vidas profanadas por los piquetes del desengaño.

Los capítulos pasados de esta novela negra, paradójicamente, la hacían más interesante. "La desidia de algunos funcionarios no ha de desanimarnos para conseguir la información que necesitamos", se repitieron. Gustavo avisó a Jesús con respecto a la entrevista al educador de DARI Víctor Dalmau: "Hay que tener cuidado con su versión. Está envenenada de ideología y de sentimiento". Días después, Gustavo se había acercado a Ediciones Bolena para atar cuatro cabos, en relación con la gestora de El Papus. En el borboteo de la conversación, y sin que viniera a cuento, Jesús le hizo cómplice del calvario que sufría la reportera canadiense en Oriente Medio Amanda Lindhout, quien, junto con el fotógrafo Nigel Brennan, aún permanece secuestrada en algún cubículo de Somalia. Jesús había topado con ellos por un proyecto que estudiaba emprender más adelante con el *fotero* con quien trabajaba. *"We're a bit stuck about what to do, other than put pressure on the Canadian government to get serious about Amanda's case and try to keep it in the public eye. There are so few journalists in Somalia who might give us some intelligence and virtually no diplomatic or military infrastructure. And, Amanda's family has been quite discrete, I think because they are a bit worried that increased media attention on Amanda's case only boosts the ransom demands"* ["Estamos un poco atascados sobre qué hacer, aparte de ejercer presión sobre el gobierno de Canadá para que tome en serio el caso de Amanda y tratar de mantenerlo en el candelero. Hay tan pocos periodistas en Somalia que podrían darnos un poco de información y prácticamente ninguna infraestructura diplomática o militar… Y la familia de Amanda ha sido bastante discreta, creo que porque están preocupados de que la atención creciente de los medios sobre el caso de Amanda sólo logre aumentar la demanda de rescate."], le había escrito Mary Agnes, de la Asociación Canadiense de Periodistas. Fantasearon con la creación de unos Comandos de Periodistas de Rescate, al estilo del *Equipo A,* por la impresión que les causaba el hecho de que nadie se acordara de ellos, más allá de las fronteras y pese al distanciamiento emocional de unas personas a quienes no conocían.

Meses después, Jesús lamentaría la cobertura de las informaciones concernientes al secuestro de tres cooperantes de la ONG Barcelona Acció Solidària (Alicia Gámez, Roque Pascual y Albert Vilalta). Sin ánimo de hacer demagogia, los reporteros sí que creían que se debía aplicar más a menudo la *teoría de la sospecha,* porque los diarios difundían comunicados del Gobierno sin que se tuviera ninguna seguridad de su veracidad.

Como una hormiga, Jesús recopilaba testimonios sobre *el caso Molly* que se montaban y se desmontaban tan fácilmente como los escritorios de Ikea. Cerró otra entrevista mediante el concurso inestimable de D., un compañero de Facultad *editrai-*

ner (por el curso sobre edición y corrección de textos, organizado para los parados de la profesión por el Gremio de Editores de Catalunya en la empresa Editrain, en el que los dos hombres habían vuelto a coincidir 10 años después de licenciarse). Precisamente, en Editrain, una periodista asqueada de la profesión le dejó perplejo con su confesión: alguien le contó que alguien le contó que en un diario deportivo se había aprovechado que un redactor de deportes bajaba a desayunar para quitarle la mesa con el ordenador y darle el finiquito.

D. tenía una amiga que trabajaba en un centro de menores. Se pusieron en contacto, se pasaron los teléfonos, quedaron. Un viernes de octubre del 2004, Jesús salía del metro en la boca de plaza de Sant Jaume, de la línea amarilla. Tuvo que sortear la maraña de pintas con ganas de liarla. Una despedida de solteros muy sana. Al novio le habían vestido con una camiseta del Real Madrid, de Guti, así que continuamente le dedicaban estribillos como este: "¡Guti, cabrón...!".

A las siete y media, puntuales, los dos se reconocieron. Por deseo de la chica, permanecerá en el anonimato, así que se llamará Christina.

Christina era educadora social y extrabajadora de la Fundació Pau i Concòrdia, "una fundación privada sin ánimo de lucro dedicada a la atención a las personas", según la cutrepágina web. Se acercaron a la chocolatería Farggi de plaza del Rei. Ella pidió un café con leche, y antes de que echara en la taza el azucarillo, ya había puesto a parir a la DTAIA, "la dirección general de los niños", y había cargado contra el programa del Departament de Reacció Social "Catalunya Atlas", "la gran fantochada". La charla trató exclusivamente sobre los centros de menores, "un término jurídico; son los chicos de menos de 18 años", liándose ambos con las modalidades de este concepto: menores no acompañados, menores con familia, menores en situación de riesgo...

Ella, con los labios sutiles y alisados de Hannah Montana, parloteaba sin espacios, sin respirar, con las figuras del silogismo, y apenas respiraba para expulsar su desencanto.

Christina.—Estuve trabajando en la Fundació Pau i Concòrdia, que gestiona muchos centros de menores: El Encino, Can Roure, Can Pi, Menys Arbres... Es una fundación privada sin ánimo de lucro [Christina, con el índice y el corazón de cada mano, marca el gesto de las comillas] que tiene realmente un monopolio. El Encino es un centro de urgencias donde llega de todo: los mossos van por la calle, ven a un niño y le piden la documentación. 'Ah, no tengo, soy inmigrante.' 'Vale, pues a El Encino... ¡Shum!', y de El Encino, al menor, en un periodo relativamente corto, se le ha de reubicar en alguno de los otros centros de diagnóstico, como Menys Arbres. Es decir, a los chicos se les distribuye, y se reparten entre los centros. No tienen documentación, son los *menas* (menores extranjeros no acompañados), quienes, al final, en este proceso, se convierten en menores acompañados, pues ya están *tutorizados,* tutelados directamente por la dirección. Antes, un menor se fugaba para evitar la repatriación, y se iba a otra comunidad autónoma; ahora, el proceso está compartimentado, y si el niño se va a Aragón, lo devuelven a Cataluña. Se pretende llevar un control de censo: es algo político que no tiene nada que ver con el nivel de vida del niño. Lo que se ha hecho es que un niño de 15 años, quien ha vivido un proceso migratorio muy *heavy* hasta que llega aquí, viva con estrés su permanencia, y como *educador*... Bueno, olvídate de esta palabra aunque suene bien, porque de educador, nada. En un centro de menores, tú eres un *segurata,* no un educador. Es lo que hay. Luego, ellos están en Menys Arbres y, en seis meses, se le ha de hacer al niño un diagnóstico, escrito por el equipo técnico, el educador-tutor..., y lo enviamos a la Delegación General [DTAIA]... Estos chicos necesitan residencia y trabajo.

—**¿De cuántos niños te encargas tú?**

—De unos seis, pero, muchas veces, los seguimientos tutoriales no valen de nada. El niño es un número. No hay un proceso individualizado, dispones de sólo una hora por semana para estar con él, y ni eso, porque esa hora estás delante del ordenador redactando el informe. Sobre todo, funcionas con fechas, no con objetivos.

—**¿Hablas con el niño a solas?**

—No, tú estás con el grupo, y tú te encargas de sus papeles, intervienes si comete una falta... El tutor legal es el director del centro. Lo que tú haces es vigilar.

—**¿Se podría decir que es un sistema 'perverso'?**

—Sí. Hay tantos centros y tantos menores, y se juega a cubrir plazas; no funciona con necesidades humanas reales. Durante mucho tiempo, entre los menores, circuló la idea de que si eres malo, se te ayuda. ¿Y eso? Porque te fugas, cometes una falta, y por ello te llevan a prisión, donde te buscan formación.

—**¿Y qué hacen entonces?**

—Delinquir.

—**¿A posta?**

—A veces, otras llevan tal rabia acumulada que les da exactamente igual. '¿Para qué me esfuerzo en cumplir unas normas que no entiendo?', piensan.

—**¿Te imaginabas todo esto cuando acabaste la carrera?**

—Si es que, al principio, este trabajo me encantó. '¡Qué chulo poder participar en un proyecto educativo así!' Luego vas viendo y te preguntas: '¿Qué hago aquí?'. Lo único que quiero es llegar entera cada día a casa.

—**¿Qué te acaba sucediendo?**

—Te deshumanizas. Los insultos son algo normal, los golpes son algo normal, te empujan, te ponen contra la pared...

—**¿De qué edades estamos hablando?**

—De 14 a 18 años. Viven en una casa en la que no hay nada para retenerlos.

—**Algunos te guardarán respeto, ¿no?**

—Es genial saber que algunos salieron adelante, y te lo agradecen.

—**¿Cuánto tiempo llevabas trabajando en la Fundació Pau i Concòrdia?**

—Unos años.

—**¿Qué se requiere para que las cosas salgan bien, según tú?**

—Profesionalidad y buena voluntad. La empresa necesita que las plazas estén cubiertas. Cada niño cuesta por día 180 euros, y la DTAIA paga a la empresa privada esa cantidad por ese niño, pero luego la empresa no se gasta eso en el niño. Es que los niños tampoco tienen ningún tipo de salida. Por ejemplo, 'Catalunya Atlas'...

—**Cuéntame, porque las referencias que tengo son muy negativas.**

—Una millonada, supuestamente para frenar la inmigración desde Marruecos. En Tánger se crearon talleres y casas para albergar a niños. Pero es una repatriación disfrazada de proyecto fantástico. Es una moto que no compra nadie. Se ha invertido un montón, y en dos años habrán vuelto 10 chicos [exactamente, 14 niños en dos años], algunos porque se les ha comprado incluso el billete. Y otros se han fugado antes de volver.

—¿La 'consellera' lo comparte?

—La orden que nos dieron fue: 'Todos con 'Catalunya Atlas', después ya veremos'. Aún así, los niños no se iban. Les explicábamos de forma positiva el proyecto, y te decían: 'Antes muerto que volver fracasado'.

—Con los más pequeños, como el caso de la hija de Molly Malone que antes te he contado, ¿qué ocurre?

—Si no retiras el niño, y pasa algo, es un marrón. La DTAIA no se plantea si la madre o el padre trabajan, o tienen o no tienen dinero... Retiran y luego preguntan. Y el proceso, una vez retirado el niño, es largo: visitas biológicas, referentes de EAIA [Equipo de Atención a la Infancia y la Adolescencia], referentes de EFI [Equipo Funcional de Infancia]... Los referentes deciden qué se hace con el niño después de evaluar su desarrollo... Todo está muy burocratizado, y una madre no entiende nada de esto.

—Molly decía que a su niña la tenía atendida, pero que no tenía dinero para una vivienda estable. Según ella, le quitaron a la niña, entre otras cosas, por ser pobre.

—Está el caso de Alba [2003], la niña maltratada, y claro, el *boom* mediático fue tan desastroso para la DTAIA que cortaron por lo sano ante cualquier caso.

—La niña de Molly estuvo en Els Tarongers, en el que algunos nos han dicho que también cuenta con calabozos.

—Técnicamente se llaman *salas de reflexión*. Si escribías en los informes: "Se ha metido en *contención...*", me lo cambiaban. Ocurre de forma muy *gore* que si te portas mal, te meten en el calabozo. Pero son para niños mayores, adolescentes.

—¿En qué consisten estos aislamientos?

—Una habitación pequeña, sin nada, con un ventanuco pequeño, con rejas, sin nada más, ni cama ni silla ni mesa... Era en plan "adentro hasta que se te pase".

—¿Las has visto?

—¡Claro, claro! No existen oficialmente, pero existen. Tú no vas a ver nunca una sala de estas.

—¿Allí qué hace el niño?

—Yo he visto de todo. Al niño se le desnuda antes y se le da otra ropa para controlar sus pertenencias, para que no tenga nada con lo que poder agredirse y que no meta tóxicos. Alguno se ha cortado con una lata de Coca-Cola. Hay un protocolo de la Generalitat al respecto.

"Instrucción número 2/2001, de 1 de marzo, sobre el ejercicio de la facultad de corrección y contención de los menores acogidos en los centros

La contención física o espacial sobre los menores mediante la utilización de habitaciones individuales y/o habitaciones de contención se puede llegar a dar cuando la problemática de conductas o actuaciones violentas o particularmente conflictivas puedan suponer en ese momento un peligro para la propia integridad y seguridad de los menores, la seguridad e integridad de otros menores y la seguridad e integridad de los profesionales del centro o de otras personas.

[…] Durante el periodo de estada del menor en una habitación de contención se establecerán los controles periódicos que sean necesarios para garantizar su seguridad, los cuales se deberán intensificar si existe un riesgo de que el menor se pueda causar daños a él mismo. El manual de buena práctica antes mencionado recomienda que la vigilancia visual sea en intervalos no superiores a 15 minutos."

—¿El protocolo lo seguíais?

—No, cada 15 minutos, en teoría, se ha de ir a ver al chico. Hay veces que los chavales han estado allí tres días encerrados. Yo no aguantaba este sistema de trabajo, pero al final hasta te acostumbrabas, y te hacía ser mala: "Oye, mejor que esté ahí, que si no me va a pegar". Salían para desayunar, comer y cenar, y para ir al lavabo cuando ellos lo pedían.

—Pero es horroroso...

—Estos chicos lo han pasado fatal en su vida como para que les metas en un calabozo.

—Y ¿cuántos centros cuentan con calabozos, porque he oído varias cifras?

—En algunos hay un sitio de *contención* física y emocional. Es que el uso es el inadecuado: una *sala de reflexión* es para que esté el niño y el educador, solos, y que el niño le confíe sus miedos, pero no lo que pasa ahora.

—¿Alguno te ha pegado alguna vez?

—Sí, me cogieron del fular, y casi me ahogan... He denunciado a tres menores.

—¿Qué falla?

—Es un sistema tan precario, que se basa tanto en sostener, en parar parar parar, que, al final, no se hace nada. Estrés. Yo cogí fobias superraras: cerrar el coche por si aparece algún niño, insomnio...

—¿Qué te pasó?

—Los niños se habían colocado con disolvente...

—¿Disolvente?

—Latas de cinco litros de disolvente para pintura. Se lo ponen en unos paños y aspiran. Lo llaman *sifona,* y están muy eufóricos.

—Pero esto con los más peques no pasa, ¿no?

—No, pero sienten un rechazo visceral por el educador, porque le hemos arrancado de sus padres.

—¿Cuando hablamos de la DTAIA hablamos de la 'consellera' Pepita Roig?

—Ella es la máxima responsable.

—¿Alguna vez se ha acercado a alguno de estos centros?

—Cuando una vez vino a un centro, se organizó una salida de los chicos al Aquaparc de Premià de Mar. ¿Casualidad?

—¿Y la directora del centro no le hace llegar las quejas a su superiora?

—No lo sé, a nosotros lo que nos dicen es: "Ya sabemos que la cosa está mal, pero hay que tirar del carro".

—Y todo el gasto presupuestario en partidas sociales, ¿en qué se ha destinado?

—No lo sé. Es una subcontrata de lo público a lo privado, como ocurre con hospitales que derivan a mutuas. Son concursos públicos que gana una empresa privada, como la empresa de limpieza Glycol.

Jesús llamaría semanas después a la central del Grupo Glycol, en Madrid. En la centralita, cuando escucharon el motivo de la llamada ("centros de menores") le pasaron velozmente con "recursos sociosanitarios". Al cabo, la chica que le atendía le paró los pies: "Pero ¿tú quién eres? ¿De dónde llamas? Exactamente, ¿qué quieres saber?". Se llevó la promesa del "ya te diremos algo, lo hemos de consultar", que fue una promesa cumplida.

Pasados unos días, la responsable de prensa del Grupo Glycol, Pinky Pick, le remitió la escasa información de que disponía, fragmentada, en dos mail sucesivos (A y B):

A

Buenos días Jesús,

siento la tardanza pero me comentan desde Glycol Servicios Sociosanitarios que actualmente no gestionamos ningún Centro de Menores.

Dentro de los servicios orientados a este colectivo cabe destacar los que prestamos para los Servicios de Día de Menores en la Isla de Ibiza. Estos servicios pretenden satisfacer la necesidad de contar con un recurso social de apoyo a las tareas parentales, a familias en situación desfavorecida, garantizando protección y educación a los/as menores.

En este recurso los/as usuarios/as son menores de edad, niños/as con edades comprendidas entre 6 y 14 años, en sus medios de convivencia, que en muchas ocasiones están emparejados con problemática sociofamiliar asociada, y problemas de tipo psicológico, pedagógico, educativo, etc. Otro servicio del área socioeducativa importante para Glycol Servicios Sociosantiarios son las Escuelas Infantiles. Actualmente, gestionamos un total de 20 Centros en todo el territorio nacional, en Tarragona, Ciudad Real, Valladolid, Burgos, Ávila, A Coruña, Lleida, Córdoba, Tenerife, Mallorca, Palencia, Zamora y Cuenca.

Ya sé que no es lo que nos pedías pero por si te puede ayudar en algo…

Un saludo.

B

Jesús, me comentan lo siguiente respecto a los centros de menores que gestionamos anteriormente en Ibiza:

El Centro de Atención Inmediata (CAI) de Ola lo gestionamos en dos periodos diferentes:

- del 1999 al 1998

- de junio del 1999 a agosto del 2000

El CAI de la Cumbia lo gestionamos:

- de junio del 1999 a agosto del 2000

La revista independiente *Entorno Social,* sobre marginación y políticas sociales, publicó hace dos años un reportaje revelador: "Glycol, asimismo, gestiona centros de menores, donde se trabaja para reintegrar a aquellos con situaciones de desestructuración y conflicto familiar".

La revista digital www.limpieza.com ("el portal de la limpieza profesional, empresas de limpieza y productos de limpieza") publicaba el 2 de marzo del 2005 una nota sobre las divergencias familiares en el seno del Grupo. Cría cuervos...

Álvarez recupera el control de Glycol para salvar diferencias entre sus hijos.

El fundador y su hija María José quedan como administradores únicos tras disolver el consejo de administración del que formaban parte sus siete herederos.

El empresario leonés David Álvarez, fundador del Grupo Glycol, recuperó ayer el control de la compañía tras la celebración de una junta general extraordinaria celebrada en Bilbao tras ser convocado judicialmente. Álvarez pretende reorganizar y profesionalizar la compañía para evitar las diferencias entre sus hijos (accionistas de la empresa los siete, con un 7% de las acciones cada uno, además de un consejero independiente).

—¿**Tus compañeros qué opinan?**

—Es muy sucio este mundo, supercorrupto. ¿Qué ejemplo estamos dando? El sistema no es eficaz. No puede ser que se cree una red superburocratizada para cualquier resolución. Es como lo típico de ventanilla en ventanilla. La DTAIA es muy cazurra. Yo digo siempre que la DTAIA funciona así: "Cada menor, un precio. No podemos dejar plazas vacías". Los centros están saturadísimos. Lo que opinamos es que no hay criterio.

—**El volumen de depresiones debe de ser inmenso...**

—Hay muchísimas bajas laborales. Yo misma he estado con ansiolíticos...

—¿**Qué le dirías a Pepita Roig si la tuvieras delante?**

—Que si tiene hijos, ojalá que nunca tengan que pasar por estos sitios.

—**Y ¿qué le pedirías?**

—Más tiempo para estar con los chicos. Hemos de invertir en diagnósticos. Si a un médico le dejan sin bisturí, ¿verdad que no puede operar? Entonces, ¿por qué a nosotros no nos dan más herramientas, más tiempo que pasar con cada niño?

*

Algunos compañeros de Facultad de Jesús se habían acomodado en los departamentos de prensa de las instituciones públicas, una opción "estable" con los tiempos que corren para la prensa escrita. Uno de ellos, Geronimo Stilton, de Governació i Administracions Públiques, fue el contacto de los colegas del ramo en el Departament de Reacció Social durante años. Jesús le envió un mail, y le remitió a Patty Spring, de la *conselleria* de la que dependían directamente los centros de menores.

"Hola, Patty:

L'escric de part del Geronimo Stilton, de Governació.

Sóc un periodista de Barcelona, professor de postgrau de la UAB i especialitzat en reporterisme. Treballo com a *freelance* per a diversos mitjans. Volia fer una sèrie d'entrevistes als consellers i responsables públics, sobre diversos temes que afecten la societat catalana, els seus reptes, i les tasques que estan portant a terme els departaments de la Generalitat.

Volia començar amb la Pepita Roig.

Estaria bé fer-la a finals de setembre-principis d'octubre, si pogués ser.

Moltes gràcies."

Fue rápido. Cuestión de una simple llamada de teléfono de Patty Spring: "¿El 5 de octubre a las 12 del mediodía te va bien?". La semana anterior, Jesús le había enviado una breve relación con los temas que abordaría, tan breve que realmente ocupaba tres líneas. Si no lo hubiese hecho de esta manera, Jesús podría haberse tirado meses tramitando la entrevista, como le estaba pasando con el reportaje que quería escribir sobre la prisión de mujeres de Wad-Ras, en Barcelona, pues aún esperaba respuesta a los numerosos telefonazos y a los 11 mails enviados, desde julio del 2003, a Pandora Woz, del Departament de Justícia de la Generalitat. Y si hubiese centrado la entrevista desde un principio sólo en los centros de menores, jamás se la hubiesen concedido. Ya le pasó con Sally Ratonen, de Gas Natural, a quien intentó convencer para entrevistar al director de la compañía sobre los contratos energéticos con los países del Este, y en especial, con Rusia. Después de un tira y afloja, Sally le quitó los pájaros de la cabeza:

> "Hola de nuevo, Jesús. Tras consultarlo me confirman que en este momento nos resulta imposible poder concertar una entrevista presencial. A pesar de que me comentaste que solíais trabajar sólo presencialmente, tengo que ofrecerte la posibilidad de que te hagamos llegar información sobre la actividad de la compañía en el mundo y en Latinoamérica si tienes interés, o bien que intentemos gestionar tus cuestiones vía e-mail si me mandas las preguntas. También podríamos facilitarte fotografías. Saludos cordiales."

A la cita con la *consellera* Pepita Roig, Jesús se enfrentó enfundado en el traje con el que asistió a la boda de Ramón y

Maite ;), dos amigos que se casaron en Menorca en el 2002. Poco miedo les podía dar un redactor *freelance* que quería entrevistar a la *consellera* republicana Pepita Roig, sin saber a ciencia cierta en qué revista se publicaría el material. De hecho, en la cuarta planta del Palau de Mar, sede de Reacció Social, al parecer, ni le esperaban. El periodista había subido en ascensor escoltado por un vigilante de JARC Seguridad SA. En cuestión de segundos ya esperaba en un cuartito de cinco metros cuadrados en el que cabían, apelotonados, un sofá de tres plazas de cuero negro y sus cuatro butacones, un ficus extraño y tres mesitas sobre las que se alineaba la publicidad conveniente: tarjetones del Centre de Documentació de Serveis Socials DIXIT, trípticos de la Plataforma per la Llengua y de la Coordinadora d'Associacions per la Llengua y la información de la campaña de la Secretaria d'Infància i Adolescència para "prevenir y detectar" el maltrato infantil. Esta última indicaba el teléfono gratuito "infància respon", 900 300 777. Por curiosidad, para matar el tiempo, marcó el número. Le contestó una máquina: "En aquests moments totes les línies estan ocupades. Si us plau, torni a trucar d'aquí uns minuts".

A los cinco minutos, entró un subordinado del Departament, para iniciar un diálogo de besugos:

Subordinado.—¿Tenía una entrevista con Patty Spring?

Jesús.—No, con la 'consellera' Pepita Roig.

Subordinado.—¿Hoy?

Jesús.—Sí.

Subordinado.—Pero de prensa, no, ¿verdad?

Jesús.—Sí.

Subordinado.—Pero más tarde, ¿no?

Jesús.—No, a las 12.

Cinco minutos después, Patty Spring picó a la puerta de la salita, se presentó y se excusó porque la *consellera* justo estaba firmando la incorporación del sindicato Comisiones Obreras al Pacto Nacional por la Inmigración, y aún tardaría unos minutos. Entonces el periodista abrió por la página 118 el libro *Morir en Madrid,* con los reportajes de Louis Delaprée sobre la Guerra de España, recopilados por el hispanista Martin Minchon. El fragmento le impresionó:

> "Muy angustiado, vuelvo a la plaza Zocodover. Allí aún continúa el tiroteo furioso entre ambos bandos. A la entrada de la calle del Comercio, se apiña un grupito de personas alrededor de algo que no puedo ver. Me acerco: hay un cadáver tendido en el suelo. El de Rubio, una bala le ha alcanzado en el ojo; el cadáver del pobre Rubio con la cara verde y fosforescente como la del Conde de Orgaz en la penumbra de Santo Tomé."

El corresponsal de *Paris-Soir* escribió a sus jefes un telegrama urgente, un día antes de que le mataran, en el que les recriminaba la salsa rosa imperante, que se convertía en portada en lugar de los bombardeos indiscriminados sobre Madrid: "(Nota para los señores Lazareff y Mille.) Ustedes sólo han publicado la mitad de mis artículos. Lo sé. Están en su derecho. Pero hubiera pensado que, por amistad, me habrían ahorrado un trabajo inútil. Llevo tres semanas levantándome todos los días a las cinco de la mañana para que ustedes puedan incluir las noticias en las primeras ediciones. Me han tenido trabajando por amor al arte y para la papelera. Gracias. El domingo, tomaré un avión, a menos que corra la misma suerte que Guy de Traversay, lo que estaría muy bien, ¿verdad?, porque así ustedes también tendrían su propio muerto.

Mientras tanto, no les enviaré nada más. No vale la pena. La matanza de cien niños españoles es menos interesante que un suspiro de la señora Simpson, puta real".

Pasó un cuarto de hora, en el que el periodista se entretuvo ojeando los mapas del Institut Cartogràfic de Catalunya colgados de los plafones de madera que dejaban oír las risitas de los vecinos, y con las placas de las entidades de barrio, que agradecían el trato recibido por la *consellera*. El periodista se recreó con la vista de las bóvedas y las torres octogonales de Santa Maria del Mar. Comenzaba a aburrirse.

La periodista Patty Spring le avisó con sumo encanto, le acompañó al despacho contiguo al de Pepita Roig, en el que una mesa alargada de ejecutivas reinaba en su centro. Jesús y Patty departieron sobre la profesión. Ella provenía del diario *El Punt*. Cuando, a los cinco minutos, entró Pepita por el falsete, Jesús se levantó, le estrechó la mano e intentó romper el hielo:

Jesús.—Hablábamos sobre la precariedad laboral.

Pepita Roig.—Yo vengo de hablar sobre la conciliación laboral.

La *consellera* es una mujer resuelta. Con cara de *pomes agres* en ocasiones, se reblandece a medida que adquiere confianza, hasta que se muestra tan agradable como la princesa Fiona de *Shrek*. Vestida con una blusa fucsia, se armó con un dossier relleno de datos puntiagudos sobre el aumento de los recursos en la DTAIA, alertada por el correo electrónico que el periodista envió a Patty días atrás con la escueta indicación de que se pediría una contestación a las críticas del colectivo DARI, especializado en menores. El periodista había estudiado su repertorio de cuestiones, con el fin de que no diera la sensación de que sólo había concertado la entrevista para discutir sobre los menores tutelados por la Generalitat.

Los primeros diez minutos supusieron una sucesión de temas 'pesebre' para que se distendiera, conforme al código del buen periodista, basado en los imperecederos Hunter S. Thompson y Seymour Hersh. Enfrente de él, Patty Spring fiscalizaba hasta el menor carraspeo, apuntando las frases que salían de boca del periodista, y añadía sus observaciones en una libretita. Jesús preguntó por la integración de la inmigración, las medidas extraordinarias para afrontar la crisis en Cataluña y la comisión de trabajo por la inclusión social, y por la Llei de Dependència. En ningún momento se tiró a la yugular, y no sacó a relucir el informe que el diario *La Vanguardia* usó cinco días antes con un titular que dañaba su imagen pública: "La Generalitat pagó 30.000 euros por un manual contra la crisis. El documento se propone convertir a la *consellera* Roig en una líder". Aún así, jamás la pilló desprevenida.

Los siguientes 10 minutos, exclusivamente dedicados a los centros de menores, fueron como una operación de cirugía láser que permite extraer el cristalino con un éxito del cien por cien.

—¿Han aumentado los recursos en la DTAIA?

—En seis años, hemos doblado los recursos destinados a la atención a la infancia y la adolescencia: de 68 millones de euros, en 1998, a 157 millones de euros en el 2004.

—Cada vez hay más fundaciones privadas que gestionan centros de menores...

—La DTAIA cuenta con una red variada pública y concertada para hacer frente a este aspecto.

—¿Existe un concurso anual o periódico para asignar la gestión de los centros?

—La DTAIA ha hecho, en este momento, una revisión de su plan director, que presentaremos. Todos los centros trabajan con unas líneas determinadas, con unos proyectos educativos que son validados por la dirección, en concordancia con su reglamento de régimen interno. La línea de actuación está planificada y estructurada desde la propia Administración. Tengo la plena certeza de que los *nanos* son atendidos adecuadamente en todos los servicios.

—¿Cuánto cuesta la atención a un niño?

—Los centros concertados reciben un módulo por día y niño muy variable, porque los centros, asimismo, también son variables. No es lo mismo atender a niños de 0-3 años que a adolescentes. El coste del módulo permite hacer frente a las ratios de profesionales que establece la ley actual de infancia, que se ha de cumplir. No es un coste barato, pero tenemos al frente a diplomados en Educación Social. A ver, yo no creo que nadie se plantee el coste de una escuela concertada, por ejemplo, para la formación de su alumnado.

—¿La formación de los educadores se mima?

—Es evidente. Los menores que se atienden son menores cambiantes en base a la población que se atiende, y se requiere una especialización importante.

—Algunos educadores utilizan la palabra 'calabozos' para hablar de las celdas de aislamiento...

—[Risas. Se quita las gafas y con la mano derecha imprime autoridad.] Son habitaciones de reflexión y contención, en ningún momento es una celda. Hemos de tener en cuenta que la protección de la infancia ha de ser para todos los menores, y hay niños que conviven con otros que tienen problemas de trastornos de conducta y enfermedades mentales, y otros que han padecido mucho a lo largo de su vida y que tienen problemas de adaptación. Las salas están reguladas y están destinadas a evitar que el menor pueda hacerse daño o hacer daño a los demás, y para contenerlos en el momento en el que sufren una crisis.

—El Defensor del Pueblo de España sostiene que los centros están saturados.

—No. Los centros pueden estar saturados en momentos puntuales. La población infantil es una población que sube y que baja, y no es estática. Afortunadamente, hay muchos niños que después de un proceso de mejora pueden volver a casa con sus familias. Otros menores pueden acceder a un acogimiento familiar, por lo tanto, hay mucha movilidad. Puede haber momentos de sobreocupación, pero son momentos puntuales. La DTAIA ha de atender a todos los menores que estén en una situación de riesgo social y desamparo. Insisto: hay plazas. Cubrimos todas las necesidades. Y prevemos que habrá más niños tutelados, no porque haya una sociedad más maltratadora, sino porque disponemos de más profesionales y detectamos los problemas antes.

—¿En qué situación se encuentra la infancia en los centros?

—En estos momentos, hay 7.780 niños tutelados. Se ha incrementado respecto a años anteriores. Actualmente, tenemos 48 equipos de atención a la infancia y la adolescencia, más que en otros años.

—Se han cumplido dos años del 'Programa Catalunya Atlas'. ¿Qué evaluación hace?

—Valoro el programa, que está estructurado en dos pilares: uno, evitar que los chicos inicien procesos migratorios, actuando sobre ellos a través de la inserción laboral; son chicos que acceden a nuevos recursos. Esta pata está funcionando muy muy bien: se han hecho ya las primeras promociones con un nivel de inserción laboral altísimo. Así hemos evitado

que inicien un proceso migratorio que no es siempre voluntario, y que está condicionado por las necesidades del propio
entorno familiar. La otra pata es el retorno voluntario de
niños que tenemos en los centros de la DTAIA. Algunos vuelven. Nos habría gustado que más niños se hubieran acogido a
esta fórmula.

—¿Cuántos niños han vuelto?

—No sé decirte. Clarísimamente, estamos por debajo de los
que esperábamos.

Jesús cerró el apartado de los centros de menores, y salió
del paso con un regalo para la *consellera*. Le preguntó acerca del
tejido asociativo en Barcelona y el resto de Cataluña, para que
pudiera lucirse y se explayara de nuevo en la importancia de la
lengua como eje vertebrador de la sociedad.

El periodista creía que podía haber sacado más jugo del
encuentro, pero, aunque no era excusa, la compañera Patty
Spring anotando todas sus intervenciones le había puesto ner-
vioso. Querría haberle preguntado acerca de la sobremedicación y de los posibles maltratos. Sin embargo, Roig se sabía de
antemano la orientación de las preguntas, y se le adelantaba,
prevenida.

Su aventura en el Palacio de Invierno de la *conselleria* de
Reacció Social, de la cual no había quedado satisfecho, aún
podía granjearle alguna exclusiva: en una de las cuatro plantas
del edificio histórico, domeñado por el ulular de barlovento
procedente del Mediterráneo, trabajaba un compañero, a
quien llamará Mathieu, en honor al activista Mathieu Corman,
testigo de la Revolución de Murcia. Su *Garganta Profunda* le
confió que no había suficiente transparencia en según qué
cantidades presupuestarias y en según qué programas institu-

cionales, como la intención de aumentar las adopciones en el Congo.

Jesús salió del edificio, en la plaza de Pau Vila, con su mente más llena de preguntas que de respuestas. Caminaba en dirección al paseo de Colón, con el mar a sus espaldas. A su izquierda, los mástiles de los barcos se mecían con su eterno vaivén acuático. Como si cada uno le recordara que ni él ni nadie podrían detener los movimientos acompasados por el ritmo de las olas. Él mismo se sentía un bolardo más de su propio puerto, sin saber si debía arribar o zarpar en el mar del reportaje sobre los centros de menores. Dudó por un segundo si la entrevista había sido mala o buena. Por la mollera le pasaron en remolino las respuestas, los gestos y hasta la forma de disponer los papeles sobre la mesa de Pepita Roig. Así, meditabundo, llegó hasta la biblioteca del Espai Cultural Caja Madrid, en plaza de Catalunya, donde solía utilizar la conexión gratuita a Internet. Entonces se puso a repasar las notas y el material desechado. Como este despacho de EFE, de febrero del 2004:

"El Defensor del Pueblo de España denuncia los centros de menores por vulnerar los derechos de los niños

El organismo revela castigos corporales y maltratos psicológicos como prohibirles asistir a la escuela o dejarles sin comer

Madrid – 02/02/2004

Los centros de protección de menores con trastornos de la conducta y en situación de dificultad social, una suerte de "internados" para chicos con problemas psíquicos, vulneran los derechos fundamentales de los niños a su cargo.

Castigos corporales no justificados, maltratos psicológicos, dejarles sin comer, prohibirles asistir a la escuela, humillarles y ridiculizarles son algunas de las cosas que un extenso informe del Defensor del Pueblo, que ha recibido hoy el Congreso, achaca a estos lugares, dependientes de las administraciones públicas pero gestionadas por fundaciones privadas.

[...] excesos a la hora de "retener corporalmente" a sus internos.

Este es uno de los muchos "eufemismos pedagógicos" que denuncia el defensor, cuyo informe asegura que estos centros son mucho más duros "que los de reforma". Las "contenciones físicas", según se denuncia, no las realizan en todos los casos personas especializadas ni sólo en situaciones muy excepcionales, sino como método de reprender y llegando a causar lesiones físicas a los niños."

Jesús necesitaba ver a Molly, entre otras cosas, para ponerle al día del avance de sus investigaciones, tal como le había prometido cuando la conoció. La llamó, pero su teléfono no se encontraba disponible. Le envió un correo, conforme a su antiguo proceder. Y se inició un cruce de rápidas misivas, tan rápidas que competían con el Messenger. En 20 minutos, Molly Malone le había vuelto a dejar chafado, con el frío de "los copos de nieve de la memoria" del *Libro del anhelo,* de Leonard Cohen, y con la ingravidez de sus compromisos para verse.

—Hola, Molly. Soy Jesús, el periodista. ¿Quieres que quedemos un día de estos y me cuentas? Espero que todo te vaya bien. Un saludo.

—¡Hola! ¿Qué tal? Quisiera que me cuentes también para que sepa dónde va a parar mi historia y el punto de vista desde el cual lo has redactado ahora, si lo has hecho. Un saludo.

—Hola, Molly. Si quieres, quedamos en tu casa o donde prefieras para tomar un café y te cuento... Un saludo.

—Estaba más bien pensando que si ojalá me pudieses mandar primero algo por Internet. Un saludo.

—Hola, Molly. Te puedo imprimir un juego y te lo entrego en mano. Un saludo.

—De acuerdo, sólo que tendríamos que quedar dentro de un par de semanas o un mes. Estoy muy liada. Gracias.

De Molly sabían poca cosa más. Querían que leyera el libro y que firmara cada una de sus páginas, solemnizando ante notario su palabra dada y su verdad. El proyecto periodístico les había costado casi un año de correrías y muchas horas sacadas de los doscientos mil trabajos con los que, juntos, ganaban un sueldo de *mileurista*. Trabajos temporales y peligrosos. Como el de Gustavo con los separatistas de Cachemira, para que las vacaciones de agosto no fueran una ruina económica. Porque para los periodistas *a la pieza,* el verano podía ser un fracaso o una fortuna. Sencillamente, una lotería. O como el de Jesús en Bosnia, en un campamento de refugiados, en el corazón de Europa, con los supervivientes de la matanza de Srebrenica. Cuatro días de ida y vuelta en coche para dos días de entrevistas.

Sin ir más lejos, en la misma Barcelona, la segunda semana de octubre del 2004, mientras Jesús, en Ediciones Bolena, enviaba un correo masivo a los medios con la convocatoria de la presentación del ensayo *Crisis y capitalismo en el tercer mundo,* del economista Muakuku Rondo, notó que los dedos de sus pies se empapaban. De la cisterna del lavabo estaba saliendo la porquería de las cloacas, y el local quedó anegado. El periodista se erigió como uno de los héroes de Chernobyl, quienes, sin las protecciones adecuadas, intentaron taponar la fuga radioactiva con paletadas de cemento en la central atómica. Pero, en su caso, contuvo el agua con una muralla de poemarios desechados de *Ópera prima;* el operario de la imprenta, con las mejores intenciones, había suprimido la i de *corita,* adjetivo que desconocía, por lo que la bella autora había tirado a la basura la edición al leer la nueva frase en la solapa.

Además de ingrato y arriesgado, el oficio podía ser también frustrante. Con la llegada del otoño, les caían los noes, como las hojas de los castaños. Durante dos semanas, Jesús recogió las disculpas de quienes, por una u otra razón, se habían echado atrás en ofrecer su testimonio para esta investigación sin recursos ni bienes. Había dejado dos mensajes en el buzón de Vanessa Serra, exvecina de Molly. Le habría encantado visitar la juguetería cuya dueña se acordaba de la kazaka y su hija.

Christina, educadora social con bagaje en los centros de menores, había removido cielo y tierra para localizar a algún chico de quien hubiera sido tutora y que ya se hubiera emancipado, pero se tropezó con más dificultades que milagros: "¡Lo siento, pero no! He enviado algunos mails. ¡Algunos de los k me responden ni siquiera están en Cataluña!, y otros no me han dicho nada".

El periodista aún mantenía relación con Víctor Dalmau, del colectivo DARI, quien le había asegurado que intercedería para que pudiera visitar *el albergue* Alcor, que él juzgaba "ilegal". Nunca más se supo. Por otra parte, Gustavo aún esperaba los convenios entre la Administración y los gestores de los centros de menores. Había perdido la esperanza, por el aluvión que la nacionalista Clara de Jarnés y sus compañeros de partido debían capear: a finales de octubre, prácticamente todas las formaciones políticas de Cataluña exigían a CiN la devolución de más de 600.000 euros, que había recibido en donaciones del Palau de la Música a través de la Fundació Pablo Suero. Lo malo no era el hecho, sino la procedencia del dinero. Éste había sido obtenido por Fèlix Billet, feudo-lugar-teniente-heredero del Palau, luego de engañar a medio país con el uso impropio y arbitrario que daba a las ayudas y subvenciones que recibía. De manera que lo que menos esperaba Gustavo era que en su cuenta de correo apareciera un mensaje de De Jarnés con un documento escaneado, como le sucedió el 22 de octubre del 2004. Tres páginas que daban respuesta a la solicitud que acordaron en su despacho ¡tres meses antes!, firmadas cada una, el 8 de octubre, por la propia *consellera* Pepita Roig. Justo tres días después de la entrevista con Jesús.

"[…] el centro El Papus está gestionado en régimen de concierto por una entidad mediante el contrato adjudicado y firmado el 1999, y prorrogado sucesivamente por acuerdo de ambas partes, según la vigencia establecida en las cláusulas del contrato de contenidos en el pliego de prescripciones técnicas, por lo cual, tampoco existe un convenio de funcionamiento."

¡No existía un convenio de funcionamiento! Esto dejó boquiabierto a Gustavo. ¿Qué demonios ocurría con esos convenios de los que todo el mundo hablaba, pero que, al parecer, no existían? De todas formas, entre líneas hizo esta lectura: *"No te envío el contrato porque no es lo que me has pedido. Has preguntado por el convenio y te digo que no hay convenio"*. Le dejaba una espina clavada el hecho de que la Administración fuera tan ambigua. A nadie le quedaba duda de que la función y el trabajo de los centros de menores era un asunto delicado. Pero ¿por qué tan poco transparente? ¿Por qué era tan difícil conocer los términos que regulaban su relación con el Departament? La relectura de esas ocho líneas le irritó, por la falta de concreción en los términos técnicos: "[...] *según la vigencia establecida en las cláusulas del contrato de contenidos* [...]". Ni la vigencia ni el contenido del contrato quedaban claros. Todo el documento era como un gran monosílabo. Entonces se preguntó por la diferencia entre *contrato* y *convenio*. Según el diccionario de la Real Academia, vienen siendo la misma cosa:

Convenio:

(De *convenir*)

m. Ajuste, convención, contrato

Contrato:

(Del lat. *contractus*)

m. Pacto o convenio, oral o escrito, entre partes que se obligan sobre materia o cosa determinada, y a cuyo cumplimiento pueden ser compelidas

Con esta nueva información bajo la manga, no perdió tiempo y llamó excitado a R., de la Fundació Sociedad Educadora. Esta se hallaba en una reunión. A la mañana del día siguiente, le devolvió la llamada al móvil:

R.—Hola, Gustavo, que me has llamado...

Gustavo.—Sí, R., es por la entrevista que nunca pudimos concretar. ¿Recuerdas?

R.—Claro, pero te contesté que debías hablar con los periodistas de la DTAIA.

Gustavo.—Bueno, ese mail no lo recibí. Tal vez no me llegó o se perdió en la bandeja de no deseados... Dime,

¿y cómo se llaman las personas con quienes he de hablar?

R.—Patty Spring y Metomentodo Quesoso.

Gustavo. —Ah... ¿del gabinete de prensa del Departament de Reacció Social?

R.—Sí.

(Patty Spring, de Reacció Social, admitió, por otro lado, que no se acostumbraba nunca a dar los datos de los convenios con los centros de menores.)

Gustavo llamó a Jesús para hacerle partícipe del búnker informativo de la Generalitat que impedía que nadie se fuera de la lengua.

Ese día, por la tarde, ya noche, Jesús echó la llave a Ediciones Bolena, después de despachar a un hombre de mediana edad y finos bigotes que se ofrecía a engrasar las guías de la persiana.

Desde hacía un par de meses habían aumentado las visitas de puerta a puerta de comerciales que menos corbatas vendían de todo: de Citybank, de Transportes Ochoa, de una operadora de telefonía móvil... Se acordó de la excusa que, aquel mismo día, le puso Claire, la chica que había trabajado con él en la editorial, por llegar tarde a la comida pendiente en el restaurante *Opalina*: "Id tirando, una mujer se ha tirado a las vías del tren en Cornellà y el servicio se ha paralizado".

Caminó hacia su casa con paso rápido. Pura inercia.

En la calle de la Mineria, enfrente del supermercado Lidl, dos familias, una de ellas con un bebé, rebuscaban en la basura de los contenedores las ofertas caducadas que, a las diez y poco de la noche, tiraban las dependientas.

En su habitación, escribió lo que le recordaba un calco del

modelo social estadounidense, con la figura del *lost* marginada del reconocimiento social. La subcontratación en los centros de menores, con empresas de limpieza (expertas en lejía, salfumán, KH-7) que gestionaban los equipamientos en los que vivían "los hijos de la Generalitat", hizo que le viniera a la cabeza la potentísima Halliburton, la SA de los contratistas estadounidenses, garantes de la seguridad en Iraq. (Subcontratación policial, subcontratación informativa, subcontratación en las políticas para la infancia…)

Hacía ya diez meses, en enero del 2004, los periodistas habían escogido la táctica de las *investigaciones paralelas:* buscarían por separado, para que uno intentara llegar a donde el otro no pudiera. De esa forma, no se quemarían sus nombres y lograrían subir más peldaños en la escalera del poder. Pero la Generalitat funcionaba como una red de telaraña en la que al de arriba no se le escapaba ningún hilo. Definitivamente, los habían calado. Ahora, a cualquier puerta de cualquier organismo que picaran, les remitirían a Prensa de Reacció Social. Mathieu Corman, el *Garganta Profunda* de Jesús en el Departament, fue el último en actuar así: "Me dicen que hables con Prensa de la DTAIA, que ellos te atenderán muy bien. Te paso el teléfono".

Jesús contaba con el tocho del plan director de servicios sociales especializados de Barcelona 2003-2008, a cargo de la Generalitat de Catalunya y del Ajuntament de la ciudad. El voluminoso estudio nada más que contenía comparativas, cuadros estadísticos y eso tan feo como son los "términos absolutos".

> Els centres d'acolliment de menors són serveis residencials per estades limitades per a infants i adolescents en situació de risc social que són

derivats per la Direcció Total d'Atenció a la Infància i l'Adolescència responent a les propostes dels EAIA o a les urgències detectades per hospitals o altres institucions. El 2002, a Catalunya hi havia 13 centres d'acollida amb un total de 347 places. Una tercera part del total d'aquestes places es concentren a la ciutat de Barcelona, és a dir, 115 places.

Dels quatre centres d'acollida situats a Barcelona, dos atenen preadolescents i adolescents: el centre CODA atén nois de la franja d'edat que va dels 12 als 18 anys, i el centre d'acolliment Talaia a partir dels 13 anys; el centre d'acolliment Els Tarongers i el centre d'acollida i urgències infantils Josep Pallach són mixts i atenen infància i preadolescència de 0 a 12 anys.

Gráficos, tablas de Excel, distribuciones de cifras por áreas geográficas, porcentajes... Los niños, reducidos a números, molestaban menos. Jesús releyó la sentencia de Molly Malone, que no contestaba a sus llamadas, para que revisara el reportaje. Detrás de las capas de absorbentes expresiones de la jurisprudencia, se dejó acunar por una prosa poética que emanaba de la enorme sensibilidad de la jueza ponente: "El menor vive una situación de abandono real que le causa sufrimiento, y este sufrimiento tendrá tantas formas de expresión como distintas sean las naturalezas humanas".

EPÍLOGO. Marzo del 2005. La decepción

En los meses siguientes al punto final que la pareja de periodistas le dio a este trabajo (octubre del 2004), los mensajes del colectivo DARI, especializado en la defensa de los derechos de los menores inmigrantes de la calle, solos y empapados bajo la lluvia cada vez más insolvente, llegaron con cuentagotas en un principio, y a chorro después. La selección de mails:

> 12 de noviembre del 2004: *La Protecció de la infància en situació d'alt risc social a Catalunya. Informe extraordinari. Juny 2004*

> 11 de diciembre del 2004: *Escándalo en los centros para menores (Reportaje publicado en la revista 'Tiempo')*

> 15 de diciembre del 2004: *Ciberacción Informe. Niños y niñas en centros de protección terapéuticos en España: víctimas de un círculo de exclusión, abusos y desprotección*

> 22 de diciembre del 2004: *Un centro de menores por dentro. 'LA VANGUARDIA' ENTRA EN UN CENTRO ACUSADO POR AMNISTÍA INTERNACIONAL*

> 5 de enero del 2005: *DTAIA admite saturación centro menores La Mercè de Tarragona*

> 5 de enero del 2005: *DTAIA y Creu Roja cierran el centro de menores Ceseim*

> 9 de enero del 2005: *El doble rasero de Reacció Social: centros de menores y fundaciones / padres y madres adoptantes*

11 de enero del 2005: *MENORES EN EL NIDO DEL CUCO. Centros de menores drogan a chicos conflictivos*
15 de enero del 2005: *Fiscalía investiga centro menores Mas Garriga de Fundació Resilis por presuntos malos tratos. El reglamento del centro avalava la tortura*

Seguramente, limando sus matices, la mayoría se reducían a una crítica de la situación irregular en la que los chicos inmigrantes vivían en Cataluña por estar indocumentados, indefensos y faltos de atención. Un ejemplo, el comunicado del 5 de marzo del 2005, que contenía el índice de un informe revelador:

Informe Menores en Riesgo: Prácticas excepcionales de las Administraciones SOS Arrazakeria Gipuzkoa. Febrero del 2005

SOS Racismo quiere reconocer la valentía mostrada por todos los chicos y chicas que han luchado por sus derechos. Del mismo modo, la ayuda, apoyo y confianza recibida por parte de educadores y educadoras, y ciudadanos de a pie, han sido y son un elemento imprescindible para crear espacios de transformación y permitir el cambio hacia una sociedad más justa e igualitaria.

El punto 4 de SOS Racisme de esta crónica desnaturalizada incluía un interrogante: "La educación, la documentación y la dignidad: ¿derechos para todos?"; en el punto 5.1. se interpelaba al Gobierno por el grave abandono de sus obligaciones: "Ceses de tutela: omisión de responsabilidad por parte de la Administración", y el punto 5.5., referente a la Fiscalía de

Menores, introducía una coletilla que podía producir sonrojo: "Fiscalía de Menores: la gran ausente".

Ni mucho menos era el único informe acusador que se había dado a conocer por aquellos días. La presentación de una investigación sobre menores no acompañados de la Fundació Pere Tarrés y la presentación de un informe sobre centros terapéuticos de Amnistía Internacional habían provocado que la Generalitat reaccionara tímidamente al principio, y de la manera más burda posible después.

Mujer, inmigrante, menor y sola: invisible

La Fundación Pere Tarrés alerta de la situación precaria de las jóvenes que llegan a Cataluña sin tutores

Barcelona - 17/12/2004 *(El País)*

Inmigrante, mujer, menor de 18 años y sin un adulto que se haga cargo de ella: una suma que demasiadas veces aboca a la invisibilidad social. Eso ocurre en Cataluña. En 2004, la Dirección Total de Atención a la Infancia (DTAIA) atendió a 700 de los menores que llegaron como inmigrantes y sin acompañantes adultos. Sólo el 4% eran chicas.

De esa invisibilidad alerta un estudio de la Fundación Pere Tarrés, que se ha elaborado mediante 258 entrevistas a jóvenes y educadores de toda España y que se publicó ayer. Su autora, Violeta Quiroga, reclamó más coordinación entre la DTAIA, cuerpos policiales y las ONG para detectar a estas chicas y darles cobertura social. "Nos hemos relajado", espoleó Quiroga.

En diciembre del 2004 la organización de defensa de los derechos humanos Amnistía Internacional (AI) publicó un dossier de 101 páginas cuyo lema recordaba a uno de esos gritos en *Sálvame Deluxe,* el programa de Jorge Javier Vázquez: "Si vuelvo, ¡me mato! Menores en centros de protección terapéuticos", una investigación sobre la situación de los menores en centros de protección terapéuticos y sobre "las violaciones de derechos humanos que se cometen contra ellos".

Amnistía criticaba ferozmente *las celdas de aislamiento,* llamadas así, tal cual, sin rodeos:

> [...] Inicialmente, las autoridades autorizaron la visita de Amnistía Internacional a varios centros terapéuticos; autorizaciones que fueron concretándose y cancelándose durante un periodo de cinco semanas, y que, finalmente, se cancelaron tras la visita al primero de ellos. En esta única visita se habló con dos menores en presencia de la psicóloga del centro. Estas conversaciones distaron mucho de contar con las condiciones apropiadas según las reglas y estándares que rigen las investigaciones de la organización, ya que unos funcionarios insistieron en estar presentes durante el encuentro, y otros interrumpieron de forma constante, incluso asesorando a los menores durante el transcurso de las mismas cuando sus declaraciones contradecían la información que había sido suministrada por la Administración previamente, en particular, en lo referente a sus revisiones médicas, *al uso de castigos y celdas de aislamiento.*

[Las cursivas son de los autores.]

La rueda de prensa para presentar este trabajo, organizada por el gabinete de prensa de la sección española de Amnistía Internacional, se celebró el 15 de diciembre del 2004, en el salón de actos del Col·legi de Periodistes de Catalunya.

Amnistía Internacional denuncia la situación de los menores en centros de protección terapéuticos

ATENCIÓN MEDIOS DE COMUNICACIÓN: PRENSA, TELEVISIÓN Y RADIO

Al inicio de la rueda de prensa se proyectará un **audiovisual** sobre este informe con testimonios de menores, familiares, abogados, psicólogos, exeducadores en centros y representantes de asociaciones de derechos humanos.

Durante el acto se entregará **material audiovisual con imágenes en bruto** para las televisiones. El formato disponible será en DVD.

Para los medios digitales se podrá enviar una **versión para web.** Intervendrán:

Esteban Beltrán. Director de Amnistía Internacional España

Elena Estrada. Investigadora del informe

Sara Casas. Exmenor tutelada en centros de protección

José Antonio Bosh. Abogado de Sara Casas

En la página web de Amnistía, actualizada y que permite la interacción, se incluía la posibilidad de enviar una carta al presidente del Gobierno español, una carta que terminaba con un eslogan instigador, marca de la casa: "¡Actúa!".

Sr. José Luis Rodríguez Zapatero

Presidente del Gobierno de España

Señor Presidente:

En el marco del vigésimo aniversario de la Convención de los Derechos del Niño, le recordamos que la protección de los niños y las niñas debe ser un asunto prioritario para su Gobierno.

Sin embargo, Amnistía Internacional expresa su preocupación ante la situación que afrontan los y las menores al ingresar en los centros terapéuticos bajo el sistema de protección del Estado. Estos niños y niñas se encuentran en ocasiones en condiciones de mayor vulnerabilidad, debido, entre otros motivos, a su invisibilidad y a la falta de supervisión y control de los centros por las autoridades competentes.

Son necesarios avances concretos y coordinados en los ámbitos de sanidad, políticas sociales y justicia, que aseguren una efectiva protección a los y las menores en todo el territorio del Estado desde un enfoque basado en derechos humanos.

[...]

Rellena tus datos para que enviemos un mensaje en tu nombre al Presidente Rodríguez Zapatero (el mensaje enviado contendrá tu nombre, apellidos y correo electrónico).

Los reporteros opinaban que la Generalitat se había equivocado de enemigo cuando leyeron en *Público,* el 20 de diciembre del 2004, la siguiente nota:

La consellera de Reacció Social, Pepita Roig, afirmó este domingo que la Generalitat estudia la posibilidad de emprender acciones legales contra Amnistía Internacional. El motivo es la polémica generada a partir de un informe que la entidad difundió hace unos días y en el que se denunciaba que los jóvenes internados en los centros de protección de menores en Cataluña son víctimas de malos tratos y abusos sexuales.

Para Gustavo y Jesús, denunciar al denunciador equivalía a rizar el rizo. Para los dos colegas, Amnistía gozaba del mismo prestigio que la ONU, y a nadie se le habría pasado por la cabeza, ni en su más remota torpeza, denunciar a la ONU. La postura adoptada por el Departament de Reacció Social significaba una huida hacia adelante.

Esta actitud se vio confirmada cuando unos días después, el 28 de diciembre del 2004, *Telecinco* dejó callada a la Generalitat, que pedía la retirada del programa *Dejadnos solos,* una especie de *Gran Hermano* de menores. La respuesta del canal de televisión privado, rebotado, representaba un corte de mangas en toda regla:

> *Telecinco* ha respondido a la petición del Departamento de Reacción Social de Cataluña para que retire el programa *Dejadnos solos*, en el que conviven dos grupos de niños, al señalar: "Seguro que la Generalitat tiene problemas más serios que afectan a la infancia de los que ocuparse".
>
> *Telecinco,* que estrenó el programa el 23 de diciembre en horario nocturno con unos resultados de audiencia muy por debajo de la media de la cadena, anunció asimismo que *Dejadnos solos* se reubicará en la parrilla en otra franja de emisión en los primeros días del 2005.

Con todo el culebrón que se había formado en torno a los centros de menores al margen de la investigación de Gustavo y Jesús —porque ni el Defensor del Pueblo de España ni Amnistía Internacional la conocían cuando presentaron sus informes—, resultó inevitable acudir a esta oenegé de derechos humanos para recabar más información. Así que hacia primeros de marzo del 2005, en los meses posteriores a la finalización oficial de su trabajo, Gustavo se puso en contacto con la organización. Primero las llamadas al móvil de E., quien figuraba como responsable de comunicación en la convocatoria de la rueda de prensa del 15 de diciembre del 2004. Como ninguna de las vías probadas daba resultado, después de 24 horas contactó con las oficinas en Madrid y Barcelona. E. se encontraba todo el mes de viaje en África, y el encargado del tema sería Andrés Buenavente, responsable de campañas de Amnistía Internacional. El portavoz en Barcelona le dijo el 9 de marzo en un correo que ya estaban al tanto de su solicitud. Así que Gustavo le reenvió un mail con la solicitud de contacto con las personas que presentaron en diciembre sus testimonios sobre los centros de menores. Al cabo de tres días tuvo suerte de encontrarle en su oficina. Al otro lado de la línea telefónica se excusó:

—Sí, Gustavo —dijo Andrés—, estamos gestionando tu petición y sólo es cuestión de que los afectados quieran colaborar. Por eso no te había contestado. Supongo que no habrá inconvenientes.

Para el periodista quedó claro que se trataba de un síntoma de la era Internet. El exceso de vías de comunicación digitales estaba entorpeciendo la capacidad de reacción de la gente. Antes se enseñaba que la correspondencia recibida por el cartero debía ser contestada, y no hacerlo era sinónimo de mala educación. Pero había comprobado que los mails no podían ser el medio más eficaz para comunicarse, porque mucha gente no los respondía. La respuesta más habitual en los gabinetes de prensa solía ser: "Es que recibimos muchos cada día". Algo cierto sin duda. Entonces, ¿qué hacer? Por suerte aún existía el teléfono. Se extendió en la conversación con Andrés para obtener claridad sobre el informe de Amnistía.

—**Nuestra investigación va sobre los centros para menores declarados en desamparo, aun teniendo padres, y no sobre problemas de comportamiento ni huérfanos.**

—Lo que ocurre es que en muchos casos ambos tipos de casos van a parar a un mismo centro.

—**¿Sobre la financiación de los centros y las entidades que los gestionan tenéis datos?**

—Sobre eso sólo tenemos lo del documento del Defensor del Pueblo de España, que es una lista de las fundaciones. En cuanto reciba respuesta de los testimonios te avisaré.

Días después, recibió material de la Memoria. El periodista leyó el documento y le impresionó el primer párrafo:

"Extracto de la carta de un menor de 15 años a su madre, amenazando con ideas de suicidio si le volvían a ingresar en el centro terapéutico en el que había sido sometido a incomunicación, registros corporales íntimos y otras humillaciones durante meses en Cádiz."

Le intrigó la definición de "centros terapéuticos", que el reportero comentó al portavoz de Amnistía. Leyó el perfil de ingresados: "Menores con trastorno de conducta o en situación de dificultad social, en cuya condición confluye más de un factor social de discriminación [...]. Esto es particularmente grave cuando, de esta indefinición, se decide un tratamiento y condiciones de internamiento para estos niños y niñas similar al previsto para menores infractores [...]. En muchos casos, el internamiento en este tipo de centros ni siquiera se debe a un trastorno de conducta diagnosticado, sino que, en ocasiones, la imposibilidad de reintegrar a los menores en su núcleo familiar, tras un periplo por diferentes centros en los que ingresaron por desamparo, se agrava cuando llegan a la adolescencia y se vuelven conflictivos".

Uno a uno se confirmaron los hechos que habían vivido los periodistas en persona. Como la cerrazón informativa que ni la propia Fiscalía en Catalunya pudo romper, según relató Amnistía Internacional en su Memoria del 2003:

> "Cualquier pretensión de recoger información estadística procedente de los propios medios de la Fiscalía es una ilusión. Los únicos datos que pueden aportarse son los propios datos procedentes de la Administración."

Ingentes o escasos recursos para los centros, según quien opinara. Y esto era lo más complejo de todo, determinar si era poco, mucho, justo, mal gastado o bien invertido. La cuestión económica era lo más ambiguo, en lo que casi nadie lograba ponerse de acuerdo. Si bien la *consellera* Roig decía que el aumento de presupuesto era importante para Cataluña (de 68 millones de euros a 157 millones de euros en seis años), algo no debía cuadrar para que todo el mundo dijera que los centros estaban saturados y que necesitaban más recursos. Amnistía afirmaba sin tapujos que para las organizaciones que gestionan los centros podía ser una "actividad lucrativa". Además de los 3.800 euros de media que reciben cada mes por menor, habría que añadir a la contabilidad las donaciones de las empresas privadas y la cesión de los terrenos públicos de la Administración, según el educador Enrique Martínez Reguera. Gustavo sentía una frustración permanente por no poder abordar el alcance real del asunto. El dinero tenía que ir a parar a algún lado, porque además de los trabajadores que vivían de los centros, estaba el patronato o los directivos de las fundaciones y entidades a cargo de los centros de menores. Porque aunque sólo Cataluña destinara un millonario presupuesto, ninguno era sometido a comprobación mediante concurso público. Por lo tanto, era más fácil conocer la idoneidad del contratista que repara las calles, que la de los centros donde se debe velar por los menores desamparados.

Sobre el abuso de la declaración de desamparo de los menores, tal como ocurrió con Sara Malone, Amnistía Internacional destacaba que la pobreza estaba presente en la mayoría de los casos. El testimonio de una tal Felisa y de una tal Lourdes se recoge en el documento, que sumados al de Molly, configuran la excepción, la de los padres que han intentado oponerse a esta situación. Amnistía Internacional atacó con la mención de toda la jurisprudencia nacional e internacional posible: si los menores se encuentran en situación de debilidad económica es porque la Administración no ha conseguido proporcionar bienestar a estas familias.

Gustavo.—Oye, ¿qué hacemos con este informe? No tenemos todavía el testimonio de ningún chico —le dijo a Jesús, más de una semana después, mientras esperaba el contacto de los extutelados por la Generalitat.

Jesús.—Pon lo que tienes y lo que te han dicho hasta el momento, porque eso demuestra que no hemos estado perdiendo el tiempo.

Los testimonios de Amnistía Internacional no pudieron ser registrados personalmente por los periodistas. ¿Cuántas personas había entre ellos dos y los afectados? Quizá no haber tenido acceso a los niños no era un ejercicio de ocultación ni protagonismo de la tan loable ONG, sino que, simplemente, recordar la estadía en un centro de menores no era el motivo preferido para una tertulia.

Las cosas no iban mucho mejor en el ejercicio de la profesión. En Cataluña, el Col·legi de Periodistes se había hundido en una vorágine autodestructiva, que se hizo pública y se recrudeció con esta noticia.

> Ocho vocales denuncian oscurantismo en las cuentas
>
> Enfrentamiento abierto en el seno del Col·legi de Periodistes de Catalunya
>
> Comunicación Catalunya Press, 9/12/2004
>
> Ocho vocales del Col·legi de Periodistes de Catalunya han hecho llegar una carta a los colegiados denunciando falta de transparencia en las cuentas. La Junta asegura que la denuncia responde a un intento de desestabilización.
>
> Críticas a los números del Col·legi de Periodistes. Ocho vocales de la institución han enviado una carta a los colegiados en la que denuncian el "oscurantismo" y "pruebas evidentes de numerosas irregularidades".
>
> En una carta enviada a los colegiados, los vocales explican que se han visto obligados a sacar a la luz esta cuestión después de no recibir respuesta en la Junta.

Los mails que se cruzaban los integrantes de las candidaturas de las elecciones para la Junta del Col·legi y de sus simpatizantes, en copia para que cualquier colegiado los pudiera leer, guardaban rencores antiguos, basados en diferencias de criterios; al final, una sangría penosa que afeaba la institución y que daba pábulo a la maledicencia.

Y la emisora COM Ràdio había organizado un curso dirigido a los profesionales de los medios radiofónicos (gestores, directores, redactores, locutores, técnicos y comerciales) y a un grupo que desentonaba como Britney Spears en una biblioteca: "electos locales" ("ciclo dirigido exclusivamente a concejales y alcaldes" !).

Gustavo y Jesús se habían apuntado a una oferta laboral que les seducía. Se había metido en la intranet del Col·legi de Periodistes, en la bolsa de trabajo. Se trataba de escribir las crónicas de los fallecidos, en los tanatorios de la ciudad, un servicio que se ofrecía por un precio cerrado. Las condiciones de la oferta, que en un principio incluía contrato, eran cada vez más precarias. La empresa encargada ofrecía 20 euros por pieza, algo ridículo y de muy mal gusto si uno llegaba a la conclusión de que se tenía que pasar una mañana dando pésames y colocando la grabadora en los ojos enrojecidos de las personas allegadas a los seres queridos desaparecidos. A los periodistas les interesaba mucho porque veían sus posibilidades narrativas, y fantaseaban: "Podríamos escribir las vidas que siempre les hubieran gustado vivir. Total, no se podrán quejar".

Por aquel entonces, se carteaban con Javier Chicote, uno de los mejores y escasos periodistas de investigación en España, autor de la tesis "El periodismo de investigación en España: causas y efectos de su marginación"[16].

El 4 de diciembre del 2004, Jesús le escribió:

Hola, Javier:

Primero, felicitarte por la tesis y por tu trabajo. Muchas veces los medios de comunicación nacen con una vocación de servicio que luego sus directivos se encargan de torpedear nada más echan a andar. Por eso cada vez más me fijo no en los medios (la prensa escrita, sobre todo, sigue siendo nuestra niña mimada), sino en los periodistas de a bordo. He leído con atención el artículo que el profesor de La Laguna publicó sobre tu obra, y cuánta razón tiene. El compañero y yo hemos estado todo este año que acaba con un tema sobre centros de menores, con continuas reuniones a medida que íbamos avanzando en la investigación (siempre en sábados, en las horas que restábamos de los otros múltiples trabajos, que todos juntos dan un mísero sueldo), y lo hemos presentado a un premio de periodismo. Antes de hacerlo, ya se nos habían echado encima los abogados de la parte afectada, que nos dejaron perplejos porque no es que nos pusieran una demanda, es que nos prohibían que difundiéramos el material!!! ¿No conocen el derecho a la libertad de expresión?

Me gusta que hayas incluido en tus clases de Universidad como lectura obligatoria *Todos los hombres del presidente,* la biblia del periodismo de investigación a mi juicio, que hace hincapié, sobre todo, y algo que suele pasarse por alto, en el trabajo en equipo inherente a esta profesión.

En Suramérica, hoy, nos dan mil vueltas con

reportajes osados y sin ningún recurso:

http://www.pes.org/index.php?option=com_c ontent&task=view&id=5081&Itemid=60

Alberto Salcedo, el malogrado Rodolfo Walsh (cuando estuve en Buenos Aires, me compré allí toda su obra: su *Carta a la junta militar* es impresionante!)... Incluso a Janet Malcolm, que es más una escritora-ensayista, la metería aquí...

Lo dicho, enhorabuena y cuando visites la ciudad, comemos y hablamos.

Un saludo.

J

El mismo día, Gustavo respondió a los dos:

Jesús / Javier,

Pues bien, ahora me sumo yo a la conversación. En efecto, es muy difícil ejercer el periodismo de investigación. Pero también muy divertido. Con Jesús nos lo hemos pasado muy bien, algo muy importante (hablemos de vocación). El dinero es importante, pero en los libros y la investigación independiente debe ser un objetivo a largo plazo, para compaginar con el periodismo de a "fin de mes". También colaboro con *Público,* con un diario digital y con una agencia de comunicación, en Barcelona. ¿Cómo se pueden hacer tantos malabares, digo yo, y encima ponerse a investigar, por ejemplo, sobre los centros de menores? Este compromiso no es compatible con las empresas de medios, como bien dices, Javier. Conozco a uno de los periodistas que menciona Jesús

(Alberto Salcedo) y a muchos otros maestros de la Fundación Nuevo Periodismo Iberoamericano (www.fnpi.org), que sufren el mismo mal. Son raros los casos de los asalariados de tiempo completo que dedican su jornada laboral a la investigación. Primero tuvo que llegar el batacazo inicial, un gran trabajo por el que te pagaron bien o se fijaron en ti, para entonces que te llamen y que te pidan tus investigaciones. Alma Guillermoprieto, Alberto Salcedo, Jon Lee Anderson, etc. Como extallerista de la Fundación, la principal lección que nos han dejado todos esos cursos a cientos de periodistas latinoamericanos es que el colegaje y la "carpintería", junto con otros "albañiles" del periodismo, es lo que hacen posible los grandes trabajos. Eso es lo que ha venido ocurriendo en nuestras reuniones de los sábados con Jesús. Es lo que resulta en buenos periodistas, que aprenden los unos de los otros, en buenos trabajos fruto del compromiso. ¿Dónde está todo ello? Las salas de redacción son búnkeres. Es más fácil hoy en día entrar en una Delegación del Gobierno que en la redacción de un gran diario. Por eso, no podemos eludir la cita cuando coincidamos los tres.

Un fuerte abrazo y seguid con la vocación.

Gustavo Franco

Javier Chicote, ese viernes 4 de diciembre del 2004, a la hora de comer, cerró la rueda de mensajes:

Gustavo/Jesús,

Esta mañana he estado en el diario *Público* ofreciendo una investigación sobre el caso Gürtel (me la han comprado, bien!!). Allí trato con Manuel Rico, que era el jefe de la sección Política hasta hace unos días, que lo han ascendido a jefe de Información. Me alegro por él, porque es un gran periodista, pero quería contaros que la reestructuración de la redacción se debe, seguro que os habéis enterado, al despido de 16 compañeros. Un episodio más en el rosario de regulaciones de empleo en los medios de comunicación.

Simultáneamente a los despidos de plantilla, bajan las tarifas a los *freelance*. La industria mediática está hiriendo de muerte a la profesión, que sobrevivirá, porque siempre habrá historias y reporteros que merecen la pena y que trabajarán por vocación, pero cada día más maltrecha. Cuando me desanimo viendo cosas como éstas, o como la tragedia que nos pasa Gustavo del acusado de matar a la niña y machacado injustamente por la prensa, pienso que, pese a todo, nuestra profesión es la más bonita del mundo, porque nos permite vivir las vidas de los demás, todas y cada una de las historias que contamos.

Espero que nos veamos pronto y que charlemos tranquilamente.

Javier Chicote

Jesús meditaba sobre la desnaturalización de la sociedad, y cada vez le insistía más a José Machado, el último mohicano de los editores-poetas, para que le dejara participar con un capítulo en su *Poética de la intendencia*. Sobraban los motivos. Por ejemplo, la situación creada tras marcar el número de Orange, después de bucear y bucear en la web para encontrarlo:

Jesús.—Hola: os llamo porque en el 1414 la máquina [contestador automático] no me da ninguna solución para dar de baja una dirección de correo electrónico.

Teleoperadora.—Ha de llamar al 1414 de Orange o bien mirar la página web...

Jesús.—Ya, pero es que a la máquina no le puedo preguntar, porque no me contesta...

Teleoperadora.—Lo siento, ha de llamar al 1414 para cualquier servicio de atención al cliente.

Jesús.—Pero es que no me soluciona nada, porque yo me quiero dar de baja de una cuenta de eresmas.com, que ahora es de Orange, y la máquina no me facilita esa información.

Teleoperadora.—Lo siento, no podemos ayudarle.

Jesús.—Es un servicio pésimo entonces.

Teleoperadora.—Buenos días.

José, que había vivido una situación igual de estrambótica, planteó sarcásticamente hacer una manifestación delante del apartado de correos de Orange, el 62064, porque era la única dirección válida que le facilitaban en centralita.

...Por no mencionar las peleas entre los seguros, que se pasaban la pelota para no pagar lo que correspondía tras la inundación y *enmerdamiento* de Bolena.

Por aquellas fechas, Jesús había iniciado el *Diario de Bolena*, para dejar constancia de las jornadas literariamente esperpénticas que se reproducían día tras día.

22 de febrero del 2005

D. temblaba de frío cuando entró por la puerta, con una sonrisa que se extendía como una ensenada, cristalina y lumínica. En el Mac, se encargaría de crear la portada de *Poético amanecer,* un cuadro de poemas en el que se patrocinaban las pinturas y los versos, los versos y las pinturas de Nicolasa, mujer inteligente y con una convicción avasalladora.

Perdido me encontraba en el mensaje que transmitía *Babayale,* la recreación de la época de la esclavitud vista con los ojos de unos adolescentes inmigrantes que han de hacer un trabajo de Historia. Corregía este libro de Javier García, el autor marginado de *La ascensión,* el éxito mediático de la Semana Santa del 2004.

Suley va mirar amb odi la tomba d'Antonio Doncel. Feia dos anys aquella tomba hauria estat una tomba més, un tomba qualsevol abandonada pels seus hereus, però ara sabia qui era aquest tipus, un traficant d'esclaus de la pitjor classe. Una tomba situada al nord del cementiri del Poblenou o de l'Est, tocant a mar. Una tomba que reflectia un passat esplendorós i, a la vegada, la deixadesa dels que, tenint la seva sang, no honoraven la seva memòria.

Corregía los puntos finales que no sé por qué se suprimían, y rebajaba de puntos suspensivos los diálogos entre los personajes, magrebíes plenamente integrados en Cataluña, pero que aguantaban de mala gana los prejuicios sociales de parte del profesorado. Cambiaba los *puaff,* que se escribían con dos efes, y los *jeje,* que se juntaban en una única interjección, y modificaba los *pero como,* que se escribía con acentos, y las comas, inexistentes aunque no por ello innecesarias.

Al instante, vino el mensajero. Preguntó: "¿Es este el número 8? Tengo 20 cajas para vosotros". Los bultos con los libros no vendidos por la distribuidora Andrés Rovira, entre ellos, algunas joyas de nuestra literatura: *Boleá, Crónica al descubierto, Excusados centenarios,* y algunas novedades que se resistían a ser adquiridas. Durante una hora rajé con el cúter la cinta adhesiva, y coloqué los libros en pilas, agrupados por sus títulos. La mañana se fue así.

A las cuatro de la tarde, peleado con mi paginita, de la que tenía que borrar un documento sin saber cómo ("La escalera", un proyecto consistente en el vaciado de las historias menudas y humanas de una escalera de vecinos en Les Corts).

Entró un mensajero que portaba un sobre con dos libros de promoción, para enseñarlos en el posgrado en periodismo Vecinal y Superior, de la Universitat Autònoma de Barcelona (por cierto, se habían constituido dos departamentos en la Facultad de Periodismo, ante la imposibilidad del profesorado para ponerse de acuerdo. Como si en Madrid se asentaran dos Gobiernos de España, que ejecutaran a la vez sus programas de medidas): *Cristo con el fusil al hombro,* de Ryszard

Kapuscinski, y *El dictador, los demonios y otras crónicas,* de Jon Lee Anderson.

Persuadía al alumnado de este posgrado para que se fijara en los breves de los diarios, en los que se agazapaban las mayores sorpresas, y los hilos de las tramas.

El País, 23 de julio del 2002

Siete años de cárcel por hacer planes terroristas

La justicia india condenó ayer a siete años de cárcel a Mohamed Afroze por planificar atentados con aviones comerciales contra el Parlamento británico y el Tower Bridge de Londres el 11-S del 2001. Afroze y sus siete cómplices se echaron atrás en el último momento.-AFP

¿Es que el terrorismo mundial estaba al tanto de los atentados del 11-S? ¿Era un ataque global, acaso?

Había entrado el paleta en Bolena, muy amable, con un tubo de cañería: "Mierda, es del siete y medio. No me vale", dijo, y miró al techo y comprobó el grosor de la instalación que debía cambiar.

Jesús se había comprometido a entregarle una copia del trabajo sobre centros de menores a Molly Malone, de quien había perdido el contacto. Pero no se daba por vencido y la perseguía.

El sábado 24 de octubre del 2004, avanzada la noche, Molly le envió el informe sobre el estado de su hija Sara que la psicóloga de Madrid Blanca Sol había redactado:

Como psicóloga clínica, especialista en terapia de familia y tratamientos de niños y adolescentes, colegiada en Madrid, y como experta que he seguido la evolución de la niña y de la madre Molly Malone *desde hace varios años, con visitas frecuentes y con un seguimiento del caso y los avances de la menor,* redacto este breve informe.

Me ratifico en la notable mejoría que se ha producido en la menor desde que convive de nuevo con su madre biológica, y cómo, paulatinamente, está recuperando las habilidades y recursos propios de su edad y una progresiva normalización de la vida afectiva y de contacto con los demás, tanto otros niños como los diferentes adultos cercanos.

No obstante, vuelvo a insistir en lo ya dicho en mis informes anteriores, que la hija de Molly Malone ha sufrido unos importantes traumas psicológicos, a mi entender, sobre todo, por el tiempo que se la ha retenido separada de la madre e institucionalizada por los servicios sociales españoles, que le han provocado una depresión grave, de la que está empezando a salir, y unos miedos y fobias al contacto exterior, junto con comportamientos impulsivos e imprevisibles, a veces agresivos y descontrolados por los sentimientos de soledad y abandono que se agudizan en niños muy sensibles ante la brusca imposición de separación de la figura materna. Y en este caso agravados por una cadena de incidencias nada positivas en las escasas visitas concedidas a la madre, donde el personal administrativo no guardó la sensibilidad imprescindible en el trato con los familiares para facilitar unos encuentros *estructurantes* y cariñosos.

Creo que se deberían investigar y pedir responsabilidades a quien proceda por un trato a todas
luces vejatorio y humillante para la madre y con
unas secuelas graves y peligrosas en la salud
mental de la pequeña y en el deterioro transito-
rio del vínculo madre-hija.

Atentamente, me tienen a su disposición para
ampliar cualquier aspecto de este informe.

Blanca Sol

Psicóloga M0789803

Madrid, octubre 2004

[Las cursivas, de los autores.]

El miércoles 4 de noviembre del 2004, por la mañana, Jesús
Martínez envió un mail a Molly, y por la tarde, ella le llamó,
histérica: que si habían entregado el trabajo al concurso periodístico en el que querían participar; que no la habían avisado
de cuándo lo entregaban; que ella no les había dado permiso
para publicar nada; que los periodistas sólo conocían un 5%
de su historia; que por qué habían hablado con la DTAIA
aunque no fuera sobre su caso; que a punto estuvo de deman-
dar a Gustavo Franco cuando sacó su historia en el periódico
Público, y que esta vez sí que les demandaría por querer publicar algo sin su consentimiento; que buscaría una ley que la
amparase...

Se puso como loca. El periodista, obligado a ser educado, le
dijo que si le volvía a chillar, le colgaría el teléfono. Como no
hizo caso, después de cinco minutos, Jesús se despidió con
un... "Bueno, Molly, buenas tardes".

Al día siguiente, por la mañana, Molly le llamó. Parecía otra. En ningún momento se disculpó por el tono del día anterior. Aunque tuvo la deferencia de preguntarle si le llamaba en una buena hora, no fuera que estuviera trabajando y que el periodista no pudiera hablar. Quedaron para el sábado siguiente, a las siete, delante de la puerta de FNAC con calle de Vergara, donde la última vez. Ella vendría sola, dejaría a su hija con unas amigas. Muy sociable, nada agresiva, coloquial.

Pocas horas antes del momento convenido, ella le envió un sms, disculpándose porque le había surgido un imprevisto y no podría aparecer. Y después de otros sms siniestros en los que Molly parecía descargar su cólera contra Jesús, acordaron que una copia en papel del trabajo, que el periodista había encuadernado con antelación, quedaría depositada en una tienda de informática del barrio de Sants, a cuyos dueños conocía bien el reportero.

A partir de ahí, silencio. A la semana, Jesús recibió la llamada de una abogada.

Le escribió un mail a Gustavo, cuando la tormenta amainó.

Hola, company:

He tenido la llamada que esperábamos. Me ha llamado al móvil una señora identificándose como la abogada de Molly Malone. Me ha dicho que "su cliente" no da permiso para publicar el reportaje. La conversación ha sido esta:

Abogada.—¿Lo habéis presentado al premio?

Jesús.—Sí, claro.

Abogada.—He llamado a la editorial que lo convoca y me han dicho que no se ha abierto la convocatoria este año.

Jesús.—Pues lo hemos presentado, no tengo noticias de que se haya anulado.

Abogada.—Bueno, en cualquier caso, que no lo podéis presentar.

Jesús.—Yo creo que sí.

Abogada.—Mi cliente no da el permiso.

Jesús.—Ya, pero no necesito permiso para publicar.

Abogada.—Creo que te equivocas. En cualquier caso, quedas advertido. Buenos días.

Jesús.—Buenos días.

Cinco semanas después, Gustavo Franco y Jesús Martínez recibieron una citación en la que se les conminaba a comparecer en el juicio por una presunta "violación a la protección de la intimidad y la propia imagen" de Molly Malone.

La carta de su representante legal se basaba en la Ley Orgánica 1/1982, de 5 de mayo, de Protección Civil del Derecho al Honor. La denuncia de Molly, su antigua fuente periodística, fue recurrida por los dos periodistas. Pero ya sin la repercusión mediática que tuvo la demanda por difamación presentada contra ellos, a su vez, por el Departament de Reacció Social. Pese a las críticas de las formaciones políticas de la oposición, del Sindicat de Periodistes de Catalunya, así como de las entidades Singular-12 y Amnistía Internacional, la Administración consiguió inhabilitar a Franco y a Martínez para el ejercicio de su profesión por un período de dos años.

Los reporteros pagaron una multa de 12.000 euros.

José Membrive, de Ediciones Carena, también fue parte acusada, aunque salió absuelto de cualquier responsabilidad.

Hoy, Molly Malone es una activista por los derechos humanos en favor de la infancia.

&

NOTAS

1   Se omite el número.

2   La entidad ganó el Premio 2003 al Voluntariado de la
OMS-Comité Español: "Por su constante trabajo en la promoción de la lactancia materna en Cataluña, colaborando en
la formación de madres mediante sus Grupos de Apoyo, integrados totalmente por voluntarios, y contribuyendo a un cambio de cultura sobre la lactancia materna y los trastornos por
déficit de yodo, mediante reuniones periódicas, atención per-
sonalizada y por vía telefónica". Rosa Rodríguez obtuvo el
reconocimiento, el 3 de octubre del 2003 —unos cuatro
meses antes de conocerse la sentencia que devolvía la custodia de Sara a su madre—, de manos de la presidenta de Honor
del Comité Autonómico de la OMS y del príncipe Raniero de
Mónaco.

3   Dice en el blog de esta entidad: "Asociación Nuevos
Grupos. Por los derechos ciudadanos de los inmigrantes.
Unidas/os por el interés y el compromiso de participar activamente en el cambio social y en el proceso de integración del
inmigrante, decidimos constituirnos en el 1998 como grupo
para trabajar propuestas orientadas a lograr la participación
plena de las/os inmigrantes en los diferentes ámbitos de la
sociedad. [...] La asociación está compuesta por miembros de
diferentes países y profesiones que trabajamos bajo un eje
común: LA INMIGRACIÓN COMO UNA OPORTUNI-
DAD".

4   Se omite el número de la calle.

5   Se omite el número.

6   Se omite el número.

7   Se omite el número.

8   Según el plan integral de apoyo a la infancia y la adolescencia de Cataluña, en el capítulo VI, dedicado a la metodología de trabajo. Entre sus funciones, se le atribuye al CIAC "evaluar las actuaciones de la Administración de la Generalitat en este ámbito".

9   http://elreportajecensurado.terra.es/viewer/portada.cfm? cod_media=49921

10   La estadística de menores atendidos se actualiza una vez por año. La cifra utilizada en este trabajo corresponde a 2001, 2002 y 2003.

11   La Escuela sobre Marginación es una iniciativa que comenzó en 1973 para dar formación a personas que trabajan o colaboran con población que vive marginada. Promovida por psicólogos, sociólogos, juristas, pedagogos, etc., que aseguran no tener "ninguna vinculación con organizaciones de carácter político ni religioso".

12   Adoptada y abierta a la firma y ratificación por la Asamblea General de las Naciones Unidas, en su resolución 44/25, de 20 de noviembre de 1989. Entrada en vigor el 2 de septiembre de 1990.

13   Articulo 9.1. "Los Estados Partes velarán porque el niño no sea separado de sus padres contra la voluntad de éstos, excepto cuando, a reserva judicial, las autoridades competentes determinen, de conformidad con la ley y los procedimientos aplicables, que tal separación es necesaria en el interés superior del niño. Tal determinación puede ser necesaria en casos particulares, por ejemplo, en los casos en los que el niño sea objeto de maltrato o descuido por parte de sus padres o cuando éstos viven separados y debe adoptarse una decisión acerca del lugar de residencia del niño."

[14] Boris Cyrulnik (Burdeos, 26 de julio de 1937) es un neurólogo, psiquiatra y etólogo francés. Ha trabajado la psicología con el concepto de "resiliencia", que propone el afecto como la clave para superar una experiencia traumática en la infancia, incluida la pérdida o separación de los padres.

[15] Se omite el nombre.

[16] Chicote Lerena, Javier (2006): "El periodismo de investigación en España: causas y efectos de su marginación". Editorial Fragua: Madrid.

ÍNDICE